노빈손,
피라미드의 비밀을 풀어라

노빈손, 피라미드의 비밀을 풀어라

지은이 강영숙 · 한희정 | 일러스트 이우일

초판 1쇄 발행 2003년 6월 20일 | 초판 8쇄 발행 2004년 9월 15일

펴낸곳 뜨인돌출판사 | 펴낸이 고영은 | 기획총괄 박철준 | 사업총괄 조윤제
편집책임 정광진 | 편집장 인영아 | 기획편집팀 이경훈, 안소현, 이경화
디자인팀 김미영 | 인터넷팀 안태환, 오상욱
마케팅책임 김완중 | 마케팅팀 이학수, 고은정

북디자인 고희선 | 필름출력 경운 | 인쇄 예림 | 제책 바다

등록번호 제1997-32호 | 등록일자 1997년 3월 31일
주소 121-840 서울시 마포구 서교동 396-46호
전화 (02)337-5252 · 팩스 (02)337-5868
뜨인돌 홈페이지 www.ddstone.com | 노빈손 홈페이지 www.nobinson.com

책값은 뒤표지에 있습니다. | 89-86183-91-9 03810

노빈손,
피라미드의 비밀을 풀어라

어?
노빈손…,
어디 갔지?

뜨인돌

여는 글

노빈손이 실종됐다!

그토록 가보고 싶어 몸부림을 치던 이집트의 피라미드에서 사라진 것이다.

아니, 세계 일주를 해보겠다는 다부진 꿈을 안고 출발한 지 얼마나 됐다고…. 혹시 피라미드에서 아직 덜 마른 미라를 만나 납치된 것은 아닐까? 그것도 아니면 사막 한가운데를 어린왕자(?)가 되어 스카프 휘날리며 헤매고 다니는 중?

거대한 스핑크스와 눈을 맞추며 노빈손은 어떤 생각을 했을까? 하긴 생각할 시간도 없었을 것이다. 사막 한가운데에서 길을 잃고 헤매는가 하면, 모래 폭풍에 휘말려 비밀의 이집트 왕국에 떨어져 시종일관 정신없이 달리고 또 달리니까. 하지만 노빈손은 그 달음박질을 통해 당돌하지만 왠지 미워할 수 없는 이집트 친구들과, 시간의 향기를 고스란히 간직한 위대한 고대 유적들을 만나게 된다.

우리와 다른 언어를 사용하는 다양한 인종의 사람들, 그리고 이국적인 자연과 유적을 마주하는 것은 상당히 흥미진진한 일이다. 하지만 그 아름답고 신비스런 유적들을 단지 겉모습만 보고 감탄한다면 그것만큼 안타까운 일도 없을 것이다. 이 유적들 속엔 옛 사람들의 생각과 삶의 모습이 오롯이 담겨 있기 때문이다. 그 사람들의 삶을 우리는 역사라 부른다.

세월의 무게를 고스란히 짊어진 유적들 속에서 그 역사를 찾아낼 수 있다면 당신 역시 노빈손만큼 훌륭한 여행가가 될 소질이 다분하다. 인류가 과거에 한 모든 활동이 역사라면 예술과 경제 · 정치 · 사상은 물론이고 종교와 사회 · 유물까지도 모두 역사에 포함된다. 모든 학문의 총집합을 역사라 해도 절대 과장된 말이 아니며, 역사를 통해 시야가 넓어지고 생각이 깊어진다.

노빈손은 학교에서 배우지 못한 것들을 여행을 통해 배웠다.
여행은 가장 좋은 학교이며, 여행을 통해 만나는 모든 이는 스승이다.
카이로의 허름한 뒷골목에서, 사막의 장대한 피라미드에서, 유유히 흐르는 나일 강에서 그는 고대 이집트 문명을 현재 진행형으로 생생히 보고 듣고 느낀다. 빈 손으로 겁 없이 세계 역사탐험에 나선 그의 앞날에 어떠한 난관과 모험이 기다리고 있을지 아무도 모른다. 노빈손처럼 호기심어린 땡글땡글한 눈을 지닌 독자들이 그의 발길에 힘을 실어 주자. 그럼 우리의 노빈손도 더욱 힘이 나서 전 세계 5대양 6대주를 신나게 누빌 것이다.

이 책은 노빈손처럼 여행을 좋아하는 작가들이 어느 날 훌쩍 여행을 가는 바람에 뉴질랜드에서 쓰여졌다. 현지에서 많은 도움을 주신 강경태, Sue Hooper, 이광배, Roberto Dillon, 한국해양연구원 정호성 박사님에게 깊이 감사드린다.

노빈손, 첫 나라인 이집트에서부터 여행은 꼬여 가지만 그래도 힘내라구!

2003년 6월
강영숙 · 한희정

등장인물

노빈손

펜티엄급 잔머리와 두둑한 배짱으로 평생의 꿈이었던 세계 일주에 도전한 겁 없는 청년. 몇 안 되는 머리카락을 휘날리며 멋지게 길을 떠나지만, 아니나 다를까 첫 나라인 이집트에서 덜컥 실종되고 만다.

크다만파트라 공주

그녀의 키가 1cm만 더 컸어도 세계의 역사는 달라졌을 거라는 유언비어의 장본인. 어려서부터 공주로 키워진 탓에 공주병이 위중한 것이 옥의 티이며 자신의 미모를 믿고 대책 없는 미인계를 수시로 구사하는 것이 개인기라면 개인기. 그녀는 과연 노빈손의 도움을 받아 이집트의 여왕으로 당당히 등극할 수 있을까?

몰자바대신

극악무도한 악의 결정체. 심술은 기본, 욕심은 선택, 거기다 잔인함은 보너스. 왕위를 얻는 데 방해가 되는 노빈손과 공주를 없애기 위해 늘 시공을 초월한 음모를 꾸미고 있다. 악의 궁극적 구현을 위해 그의 두뇌는 24시간 쉴 줄을 모른다.

세빌리오

습관성 도벽을 지닌 자칭 이집트의 일지매(참고로 타칭은 쥐방울) 꼬마도둑. 눈치 50단, 코치 50단, 합이 100단인 덕분에 훔치고 미꾸라지처럼 빠져 나가는 데 천부적인 소질을 타고났다. 이번 기회에 노빈손의 지도 편달(?)로 새로운 떡잎으로 거듭날 수 있을까?

몰자바를 향한 알랑방귀의 화신으로 손바닥의 지문이 없어지도록 온몸을 불살라 아부를 한 덕분에 피라미드 공사장의 감독관으로 겨우 취임했다. 어렵게 얻은 관직이 행여라도 잘못될까봐 하도 남의 눈치를 살피는 통에 사이가 멀어진 가자미눈과 신경 쇠약 증세로 벗겨진 머리가 트레이드 마크.

아부샤르 감독관

어쩌다 손에 넣은 의학 서적을 독학으로 공부한 미라 제조업자로 모든 것을 독학으로 배운 탓에 어설프기 그지없는 솜씨에 시체라면 질색하는 엉터리 장의사이다. 언젠가는 장의사의 '장' 자를 떼어 버린 '의사' 가 되는 것이 그의 소박한(?) 꿈이다.

돌파리오

믿음과 소망과 사랑 중에 그 중에 제일은 '의리' 라고 부르짖는 사막의 유목민 베두인족의 족장. 주변 지역의 개발로 사막이 줄어드는 것을 안타까워하며 유목 생활만을 고집하는 뚝심 있는 인물로 무리 사람들 모두가 그를 존경하고 따른다.

압둘

그 외 파라파 대장, 두르리나, 스핑크스, 조수, 아메스 제사장, 기타 엑스트라 등등

차례

프롤로그

1부

2부

3부

프롤로그

나 홀로 사막에

"앗, 오아시스닷!"

노빈손은 짧은 외마디 소리를 질렀다.

조금 전까지만 해도 낙지처럼 흐물거리던 다리가 언제 그
랬냐는 듯이 사막 위를 빠르게 달리기 시작했다. 며칠째 사
막을 헤매다가 겨우 발견한 오아시스니, 신에게 감사드리는
것도 잊지 않았다.

"하느님, 부처님, 예수님, 공자님… 이제야 물을 주시다니,
원망스럽긴 하지만 정성을 봐서 먹어 드리지요, 야호~!"

모래가 잔뜩 들어가 무거운 신발을 벗어 던지고, 땀을 많
이 흘려 배와 등에 바싹 달라붙어 있던 티셔츠도 벗어 던져
버렸다. 급한 마음에 바지는 벗을 겨를도 없이 오아시스 물
속으로 힘껏 몸을 날려 다이빙을 했다.

퍽— .

시원스럽게 들려와야 할 물소리 대신 둔탁한 뭔가가 모래
위에 처박히는 소리가 들렸다. 놀라서 주변을 살펴보니, 오
아시스는 온데간데없고 사막의 모래만이 사납게 이글거리고
있었다.

"뭐야, 그럼 신기루였던 거야? 으아앙~."

땀을 많이 흘려 몸속에 있는 수분이 다 말라 버려서 그런
지 눈물조차 나오지 않았다.

차가운 사막도 있다
사막은 강수량보다 증
발량이 많아 식물이 거
의 자랄 수 없는 버려진
땅이다. 지구상에서
1,500만㎢가 넘는 넓은
면적을 차지하는 사막
은 전체 육지의 1/10 이
상 된다. 기온이 너무
낮아 식물이 자랄 수 없
어서 사막이 된 지역도
있는데, 이를 한랭사막
이라고 한다. 남극 대륙
과 그린랜드, 툰드라 사
막이 여기에 해당된다.

뜨거운 햇살이 내리쬐어 허물이 벗겨진 피부가 따끔거렸
지만 손으로 햇빛을 가릴 기운조차 남아 있지 않았다. 발가
락 사이마다 사마귀처럼 부풀었던 물집이 터지고 그 자리에
는 모래가 들러붙어 걸을 때마다 아프게 콕콕 찔러댔다.

"이제 정말 더 이상 못 가겠어."

노빈손은 모래 언덕 위에 벌러덩 드러누웠다.

등으로 모래 열기가 뜨겁게 올라왔지만, 돌아누울 생각도
못 한 채 눈만 껌뻑거렸다. 처음 세계 여행을 결심했을 때만
해도 이렇게 사막 한가운데서 오징어처럼 말라 죽어가리라
곤 생각하지 못했는데… 역시 혼자 여행하는 것은 무리였을
까?

집 떠나면 고생이라고 여행을 말리던 말숙이와 엄마의 모습이 아득하게 떠올랐다. 저도 모르게 양 볼에 닭똥 같은 눈물이 뚝뚝 흘렀다.

"어무이~."

목에 핏대가 서도록 힘차게 외쳐 봤지만 메아리만 공허한 울림이 되어 되돌아왔다.

"어무이 무이 무이 무이 무이 무이~."

머릿속에 지금까지 지나온 모험들이 주말의 극장 하이라이트처럼 좌르르좌르르 펼쳐졌다. 그 와중에도 노빈손은 자꾸만 내려오는 무거운 눈꺼풀을 억지로 밀어내야 했다. 어쩌면 다시는 깨어날 수 없을지도 모른다는 생각을 하며 그렇게 잠 속으로 빠져들었다.

꿈일까?

지쳐 잠든 노빈손의 머리를 어디선가 시원한 바람이 솔솔 불어와 부드럽게 어루만져 주고 있었다.

아니 이건… 고기 굽는 냄새와 달콤한 수프 냄새!

잠깐, 냄새에도 신기루가 있다는 소리는 못 들어봤는데. 노빈손은 코를 벌렁거리며 벌떡 일어났다.

"깜짝이야, 이제 정신이 좀 드냐?"

사막 사람들은 왜 검은색 옷을 입을까?
검은색 옷은 흰색 옷보다 빛을 더 잘 흡수해서 더울 텐데, 사막 사람들은 왜 검은색 옷을 헐렁하게 입는 걸까? 검은색은 흰색보다 옷 속의 온도를 6도 가량 상승시켜 뜨거운 공기를 위로 올라가게 하고 찬 공기를 밑으로 다시 들어오게 한다. 이러한 대류 현상으로 인해 옷 속에선 바람이 부는 듯한 효과가 생겨 시원함을 느낄 수 있다.

가까운 곳에서 목소리가 들려와 돌아보니, 바로 뒤에서 누군가가 걱정스런 표정으로 노빈손의 얼굴을 들여다보고 있었다.

"여기가 어디죠?"

"오.아.시.스."

"어? 아까는 분명히 신기루였는데…."

"네가 쓰러진 바로 옆에 오아시스가 있었어. 혼자 열심히 엄마를 부르며 울부짖다가 푹 쓰러지더라."

'아깝다. 조금만 더 둘러보는 건데.'

"옷을 홀랑 벗어 던지고 모래에서 수영을 하지 않나, 거기다 다 큰 녀석이 울고불고… 혼자 보기 정말 아깝더구나."

처절하게 울부짖는 장면을 다른 사람에게 들켰다니, 노빈손은 귀밑까지 얼굴이 달아올랐다.

"그나저나 나 만난 걸 다행이라고 생각해라. 만약 그 뜨거운 햇볕 아래 좀더 있었더라면 넌 아마 통구이가 됐을걸. 이제부터 날 생명의 은인으로 떠받들어."

노빈손은 사막에서 며칠째 음식이라고는 물 한 모금, 밥 한 톨도 구경하지 못한 것이 생각났다.

"저… 생명의 은인으로 얼마든지 떠받들어 드릴 테니까 먹을 것 좀…."

"이런 내 정신 좀 봐. 얘들아, 여기 벌겋게 익은 애한테 음식을 가져다 줘라."

신기루가 생기는 이유
신기루는 온도나 습도의 영향으로 공기의 밀도가 층층이 달라졌을 때 빛이 이상하게 꺾여 엉뚱한 곳에 어떤 물체의 모습이 비치는 것을 말한다. 사막에서 종종 오아시스로 착각을 일으키거나 가뭄 때 아스팔트 위에 마치 물이 고인 것처럼 느껴지는 것도 신기루의 일종이다. 가끔 바다에서도 이런 신기루 현상이 생긴다.

그늘에서 쉬고 있던 유목민 중 몇 명이 일어나 낙타에 실려 있던 가죽 주머니를 열고 요기가 될 만한 것들을 가져다 주었다.

'아무리 내가 햇볕에 반쯤 익었어도 그렇지, 벌겋게 익은 애라니…!'

따질까도 싶었지만, 음식과 물을 보자마자 노빈손은 한치의 망설임도 없이 게걸스럽게 먹어치우기 시작했다.

의리의 사나이, 압둘을 만나다

꺼억—!

걸쭉한 트림을 하고 나서야 노빈손의 눈에 주위의 모습이 들어오기 시작했다. 주위를 둘러보면 여전히 모래뿐인 사막이지만, 한쪽엔 푸른 야자나무와 물이 흘러넘치는 호수가 하늘에서 뚝 떨어진 듯이 사막 한가운데 놓여 있었다.

"이곳이 바로 오아시스구나. 그런데 아저씬 누구세요?"

"만난 지가 언젠데 빨리도 물어 본다. 험~· 난 압둘, 베두인족을 이끌고 있지."

"베두인족이라면 유목민이죠?"

압둘은 너같이 생긴 애가 어떻게 그런 걸 다 아느냐는 듯 눈이 동그래지며 대답했다.

사막의 오아시스
이집트 중앙의 리비아 사막에 있는 오아시스는 바흐리야 오아시스로 길이 약 100km, 너비 약 40km의 분지 안에 있다. 주위는 언덕으로 둘러싸여 있으며 경작지는 넓지 않지만, 대추야자·올리브·밀·쌀 등이 재배된다.

"그래, 사막의 오아시스를 따라 이곳저곳으로 옮겨 가며 생활하고 있단다."

노빈손은 이 정도쯤이야 하는 웃음을 압둘에게 살짝 지어 보였다.

주위를 둘러보니 삼십 명이 조금 안 되는 유목민들이 여기저기 흩어져서 휴식을 취하기도 하고, 먼 길을 떠날 것에 대비해 낙타들에게 물과 음식을 먹이고 있었다.

"넌 여기서 뭐하고 있었냐? 설마 모래찜질하고 있었던 건 아닐 테고."

"잠시 길을 잃고 헤매긴 했지만 세계 여행 중이었어요."

"세계 여행이라고? 오늘 네가 날 여러 번 놀라게 하는구나. 생긴 것 같지 않게 똑똑한 것하며, 게다가 세계 여행이라니…."

노빈손은 거친 여행을 하지 않을 것처럼 곱게 생겼다는 말로 받아들이고, 압둘에게 나름대로 살인미소를 지어 보였다.

"그런데 낙타 옆에 주렁주렁 매달린 저 가죽 주머니들은 뭐예요?"

"낙타 젖이 든 주머니들이지. 저렇게 낙타 젖을 양의 위로 만든 주머니에 넣고 이리저리 흔들리며 가다 보면 치즈가 되거든. 아까 네가 먹은 음식도 낙타 젖 치즈로 만든 거란다."

노빈손은 순간 낙타 젖을 먹으면 등에 낙타처럼 불룩하게 혹이 생기는 건 아닐까 하는 걱정이 들었다. 하지만 곧 잘래

아랍인의 주식, 대추야자
고대 아랍인이 주식으로 애용해 왔던 대추야자는 이전부터 이집트에서 많이 재배되었다. 대추야자는 높이 20~25m의 나무에서 나는 3~5cm 정도 길이의 열매로 연 강수량 120~250mm의 모래땅에서 자란다. 과육은 달고 영양분이 풍부하다. 늙은 나무의 끝에 상처를 내어 그 수액을 받아 발효시켜 야자술을 만들기도 한다.

잘래 고개를 저으며 걱정을 털어냈다. 이제까지 경험으로 보건대 젖소 젖을 수없이 먹었지만 몸에 얼룩이 생기지는 않았으니까 말이다.

"압둘 아저씨, 제가 아까 피라미드를 찾아가던 길이었는데 혹시 어떻게 가는지 아세요?"

"천 년 묵은 미라 허벅지에 붕대 풀리는 소리 하고 있네. 가긴 어딜 가? 사막 한복판을 그렇게 헤매고도 아직 정신을 못 차렸냐?"

"정신을 못 차리긴요, 바짝 정신 차렸죠. 그러니까 이 맑은 정신으로 도전해 보려고요. 제가 원래 모험이나 여행하는 데는 소질이 있거든요."

압둘은 벌겋게 익은 얼굴로 잘난 척을 해대는 노빈손을 어이없다는 표정으로 바라봤다.

"소질이 있다는 녀석이 사막을 딱 죽지 않을 만큼 헤매고 다녔냐? 그것도 소질에 해당하는 줄은 몰랐네. 하긴 사막을 그렇게 긴 시간 동안 헤매고도 죽지 않은 걸 보면 너도 유목민이 될 소질은 있는 것 같구나. 차라리 우리와 같이 유목 생활을 하는 건 어떠냐?"

"아저씨, 지금 저한테 스카우트 제의하시는 거죠? 인재를 알아보는 눈이 예사롭지 않으시네요. 하지만 이걸 어쩌죠? 제가 나름대로 귀하게 자란 외아들이라, 집에서 엄마와 말숙이가 제가 무사히 여행 마치고 돌아오기만을 손꼽아 기다리

사막의 주인, 베두인족
이집트를 비롯한 아프리카 북부의 건조 지대에 살고 있는 유목민이다. 비가 많은 계절에는 사막으로, 건조한 시기에는 물이 풍부한 지역으로 옮겨 다니며 생활한다. 몇 개의 씨족이 모여 부족을 형성하고, 부족의 족장 지위는 대대로 세습된다. 적이 쳐들어오면 부족 전원이 힘을 합하여 싸우며, 의리와 신의를 중시한다. 사막의 주인이라고 할 수 있는 베두인족, 하지만 정작 그 의미는 아랍어로 '바다 위의 주민'이라는 뜻이다.

고 있답니다. 아, 난 어딜 가나 왜 이렇게 인기가 많을까?"

압둘은 별 시답지 않은 소릴 다 듣겠다는 듯 황당한 얼굴이 되었다.

"한번 해본 말 갖고 별 소릴 다 듣겠구나. 마침 우리도 피라미드로 향하는 길이니까 그 근처에서 내려 주마."

압둘의 신호가 떨어지자 휴식을 취하던 유목민들이 짐을 꾸려 낙타 등에 싣기 시작했다. 크고 작은 가죽 주머니들과 펼쳐져 있던 천막들은 유목민들의 노련한 손놀림에 아주 작은 크기로 접혀 차곡차곡 낙타 등에 올려졌다.

"그런데 생각보다 베두인족 숫자가 적은 것 같아요."

"많이 줄었지. 예전처럼 우리 유목민들이 사막을 주름 잡던 시절은 지났단다. 지금이야 석유 개발이다 뭐다 오아시스를 다 휘저어 놓아서 있을 곳도 없어지고… . 젊은애들이 다 석유 공장이나 군인으로 취직해 버려서 우리처럼 살려고 하는 사람들이 많이 줄어들어서 말이야."

그러고 보니까 유목민들은 나이가 좀 많아 보이는 아저씨들이 대부분이었다.

"자, 저기 보이는 것이 네가 찾고 있던 피라미드다. 그런데 말이다, 넌 믿음과 소망과 사랑 중에 그 중에 제일이 뭐라고 생각하냐?"

"그 노래 저도 알아요. 믿음과 사랑과 소망 중에, 그 중에 제일은 사랑…."

치즈의 원조는 유목민 우유를 오랫동안 두면 자연적으로 산화와 부패가 이루어져 치즈가 된다. 주머니에 우유를 넣고 사막을 횡단하던 아라비아 상인이 처음으로 치즈를 발견했다고 한다. 전 세계에 걸쳐 2,000여 종, 프랑스에만 400여 종의 치즈가 있다. 물소·순록·당나귀·낙타 등의 젖으로 만든 치즈도 있다.

노빈손의 말이 채 끝나기도 전에 압둘은 말을 잘랐다.

"난 말이야, 그 중에 제일은 의리라고 생각한다."

"엥~ 셋 중에 하나 고르라면서요?"

항의하는 노빈손의 말을 가볍게 무시하고 압둘은 말을 이어 갔다.

"의리, 이거야말로 강호의 의리가 땅에 떨어진 이 세상에 소금과 같은 역할을 할 수 있는 거거든. 우리 이렇게 만난 것도 인연이니까 언제고 다시 만나면 찐하게 의리로 한번 뭉쳐 보자. 여행 잘 하렴. 녀석! 눈이 똘망똘망한 것이 얼굴만 빼면, 내 젊었을 때를 보는 듯하다니까. 허허!"

"하긴 내가 압둘 아저씨보다 훨씬 잘생기긴 했지."

노빈손은 압둘 아저씨와 작별 인사를 하고, 멀리 보이는 피라미드를 향해 서둘러 걸음을 옮겼다.

의문의 두루마리

"자, 좀 있으면 날이 어두워지니까 이번이 오늘의 마지막 입장입니다. 지금 입장하실 분들은 서둘러 줄을 서 주세요."

노빈손은 간신히 마지막으로 피라미드에 입장하는 대열의 꽁무니에 합류했다.

피라미드 내부에 들어서자 갑자기 어두워져 전구가 나갔

낙타의 서바이벌 비결
낙타는 신체적 구조가 사막의 거친 기후에 잘 견디도록 되어 있다. 심한 모래 바람으로부터 눈을 보호하기 위하여 눈썹과 눈두덩은 길고 두꺼우며, 허파를 보호하기 위해 코에는 예민한 근육이 있어 모래가 들어오는 것을 막는다. 등의 혹은 실은 물이 아닌 지방이 저장된 것이며, 영양 상태에 따라 그 크기가 다르다. 낙타는 물을 3일간 마시지 않아도 별 지장 없고, 필요한 수분은 혹 속의 지방을 분해해 충당한다.

을 때처럼 캄캄했다. 사람들은 그 어둠 속에서도 허리를 낮추고 엉금엉금 기어서 안내원을 따라 피라미드 내부 깊숙이 들어가고 있었다. 이런 자세로 좁은 통로를 줄지어 가다 보니 금세 허리와 다리가 뻐근해졌다.

"천천히 좀 가자구요, 다들 눈이 야광으로 되어 있나?"

노빈손의 투덜거림을 무시한 채 안내원은 큰 소리로 빠르게 말을 이었다.

"여기서부턴 모두 제 뒤를 잘 따라오세요. 피라미드 안은 미로 같아서 한번 길을 잃으면 다시 출구를 찾기가 쉽지 않아요. 입구로 들어서면 오른쪽으로 꺾여서 좁고 가파른 통로를 오르게 되고, 다시 큰 회랑을 거쳐 왕의 방으로 들어가게 되죠. 하지만 이곳은 왕의 관이 모셔진 현실로 이어지는 비밀 통로예요. 도굴을 막기 위한 일종의 속임수죠. 이 회벽을 뚫고 돌벽을 들어내야 비로소 진짜 왕의 미라가 있는 방에 도착할 수 있어요. 조금 있으면 관람 시간이 끝나니까 다들 서둘러 주세요."

안내원의 말 그대로 막힌 줄 알았던 돌벽은 기다란 회랑으로 이어져 있었다.

빛이 들어오지 않는 피라미드 속은 신기하게도 전혀 눅눅하지 않았고, 오히려 신선한 공기들로 가득 차 있었다. 랜턴을 비추자 벽을 가득 메우고 있는 기이한 상형문자와 동물 조각들이 눈에 들어왔다. 공책의 칸을 나누듯 일정한 폭으로

가장 높은 피라미드
이집트의 기자라는 곳에 가면 9개의 피라미드가 있다. 그 가운데 사람들의 눈길을 끄는 건 단연 쿠푸 왕의 피라미드다. 이 피라미드는 많은 피라미드 가운데에서도 가장 크다. 높이가 무려 146.6m에 이르지만, 지금은 외벽이 벗겨져 대략 137m쯤 된다고 한다. 쿠푸 왕의 피라미드는 그 크기 때문에 '대피라미드'라고 불린다.

나눠 놓은 세로 선들은 문자가 아래로 곧게 새겨질 수 있도록 지침선 역할을 하고 있었다.

질서 정연하고 정교하게 새겨진 상형문자들이 무슨 뜻인지 알 수는 없었지만, 글자에서 풍기는 신비스럽고 영험한 힘은 주변 공기를 압도하는 듯했다.

벽에 새겨진 부조들을 살펴보던 노빈손은 한쪽 구석에 또래로 보이는 여자아이의 부조 앞에 멈춰 섰다. 눈, 코, 입이 오목조목 분명하게 새겨진 부조 속의 주인공은 금방이라도 살아나 따뜻한 입김을 뱉어낼 듯했다.

'마치 나한테 뭔가를 말하고 싶어하는 것 같은데….'

노빈손은 마법에 걸린 듯 점점 더 앞으로 바싹 다가가 여자아이를 바라보다가 서서히 손을 뻗었다. 그리고 손가락이 여자아이의 차가운 뺨에 닿았다고 느끼는 순간, 드르륵— 돌벽이 큰 소리를 내며 돌아가기 시작했다.

요란한 소리를 내며 돌아가는 벽의 아래 부분에서는 미세한 돌가루가 피식거리며 떨어져 내렸다. 이윽고 벽이 완전히 돌아가 반대 면이 드러났다.

"비… 비밀의 문이야."

눈으로 보면서도 믿기 어려운 일에 놀란 노빈손은 입이 쩍 벌어진 채 다물어질 줄 몰랐다.

반대 면이 드러난 벽에는 황금으로 상감을 입힌 화려한 문양들이 장식되어 있고, 가운데 홈이 파인 곳에는 먼지가 가

피라미드의 속임수
피라미드를 만든 사람들은 도굴꾼들을 속이기 위해 복도 끝을 돌로 막고 회반죽을 칠했다. 도굴꾼들이 회반죽을 뚫더라도 돌이 나오면 포기할 것이라는 생각에서였다. 무덤 안으로 이어지는 진짜 문은 천장에 있는 뚜껑이 달린 문이다.

득 쌓인 오래된 종이가 둘둘 말려져 있었다.

"이게 뭐지? 혹시 보물 지도 아냐? 공자님, 부처님, 예수님, 그 동안 착하게 살아온 저에게 드디어 이런 보너스를 주시는군요. 감사히 잘 받겠습니다. 넙죽."

그 낡은 두루마리를 집어들자, 천 년은 묵었을 법한 두꺼운 먼지가 툭 소리를 내며 사방으로 흩어졌다.

"콜록 콜록, 피라미드 관리가 이렇게 소홀해서야. 하긴 여기는 비밀의 방이니까 아무도 몰랐겠지. 히힛— 동네 사람들, 이거 봐요. 노빈손이 비밀 지도를 찾았어요, 비밀 지도를."

복권에라도 당첨된 것처럼 흥분한 노빈손은 두루마리를 들고 한참 동안 깡충거리며 이리저리 뛰어다녔다. 그런데 이쯤 되면 열광적인 반응이 있어야 할 텐데 주변은 의외로 잠잠했다.

"어라? 다들 어디로 갔지? 왠지 으스스하네. 피라미드에서 길을 잃어버리면 출구를 찾기 힘들다고 했는데…."

두려운 생각이 들어 좁은 미로 같은 통로를 기어가기 시작했다. 굼벵이처럼 기어가며 투덜대던 조금 전에 비하면 빛의 속도와 같은 빠르기였다. 노빈손은 무릎이 시꺼멓게 되도록 피라미드 구석구석을 기어다니며 청소하고 나서야 겨우 빠져나왔다.

좁은 통로를 통과하면서 눈물, 콧물로 범벅이 된 얼굴에

이집트 미술의 특징
인물의 얼굴이 반드시 옆을 향하게 하고, 눈과 어깨는 정면을, 복부는 거의 옆, 다리는 완전히 옆을 향하게 그려야 한다. 바로 이 자세가 인간의 특성을 가장 잘 표현할 수 있는 자세라고 믿었던 것이다. 또 중요한 사람일수록 크게 그려 넣었기 때문에 한 화면에 있는 사람들의 크기를 보면 그 신분까지 알 수 있다.

드디어 햇살이 비치자 노빈손은 지옥에서 살아나온 것처럼 기뻤다.

"어휴, 살았다. 피라미드에서 총각 귀신 되는 줄 알았잖아."

엥? 그러나 이게 웬일! 관광 버스는 온데간데없고, 관광객들의 모습조차 보이지 않았다. 그야말로 개미 한 마리 얼씬대지 않는 풍경이었다. 다들 어디 간 것일까?

모래 폭풍에 휘말려

휘오오— 웅.

"저, 저, 저건 뭐지?"

사막의 모래가 피어오르듯 작은 회오리가 다가오고 있는 것이 보였다. 회오리는 노빈손이 있는 피라미드를 향해 빠르게 다가오며 점점 더 거대해지고 있었다.

모든 걸 삼켜 버릴 듯한 거대한 모래 바람이 순식간에 들이닥쳤다. 뿌연 모래가 주위를 완전히 뒤덮는 바람에 눈도 뜨지 못할 정도였다. 바람에 날아가지 않도록 바닥에 납작하게 엎드렸지만, 모래 폭풍은 점점 더 거세게 모래와 바람을 쏟아붓고 있었다.

가느다란 모래들이 바람을 이기지 못하고 떠오른 데 이어

이집트인들이 좋아한 무늬

이집트인들은 옷에 기하학 무늬, 동물 무늬, 식물 무늬를 즐겨 넣었다. 동물 무늬로는 수소, 재칼, 뱀, 백로, 매, 하마 등 신을 상징하는 여러 동물이 주로 사용되었다. 식물 무늬로는 연꽃과 파피루스를 주로 그렸으며, 꽃과 꽃봉오리를 벽에 그려 넣거나 집 기둥을 받치는 돌에 아름답게 장식했다.

근처의 야자수들이 우직 소리를 내며 뽑혀져 하늘로 떠올랐
다. 배에 힘을 잔뜩 주고 납작하게 엎드려 있던 노빈손도 이
내 바람에 몸이 들려 붕 떠올랐다.

"으악! 노빈손 살려～."

거대한 모래 폭풍의 회오리를 따라 몸이 이리저리 휘둘리
자 피가 머리로 솟구쳐 롤러코스터를 탄 것처럼 현기증이 몰
려왔다. 손발을 휘저어 가며 뭔가를 잡아 보려고 발버둥쳤지
만, 느껴지는 것이라고는 귀밑을 빠르게 스치는 차가운 모래
와 바람뿐이었다.

휘몰아치는 모래 바람으로 인해 눈을 뜨는 건 상상할 수조
차 없었다. 손에 들고 있던 두루마리를 놓치지 않은 게 신기

한 일이었다.

　잠시 후 그의 모습은 거대한 모래 폭풍에 휘말려 어딘가로
사라져 보이지 않았고, 사막은 언제 그랬냐는 듯이 빠른 속
도로 원래의 평온을 되찾고 있었다.

27

**이집트에도 황사가 분
다**
건조한 사막에서 폭풍
이 몰아치면 수많은 모
래와 흙더미가 날려 사
막 근처에 있는 나라에
까지 피해를 끼친다. 우
리 나라에 봄철마다 찾
아오는 황사도 중국 사
막 지역에서 일어나는
모래 폭풍의 영향이다.
이집트에서도 매년 3~4
월이 되면 카마신이라
는 모래 폭풍이 하늘을
뒤덮는다. 카마신은 약
50일 정도 계속되는데,
모래 바람이 심하게 불
때면 비행기의 운항이
중단되기도 한다.

압둘과 떠나는 즐거운 이집트 여행

아흘란 와 쌰흘란!
아랍어로 환영한다는 뜻

나야, 의리에 살고 의리로 뭉치는 의리맨, 압둘! 사막을 지나다가 가끔 노빈손처럼 사막을 헤매는 사람들을 만나는데 말이야, 내가 무슨 긴급출동 119도 아닌데 수시로 그들을 구해야 되냔 말이야. 나도 내 사생활이란 게 있는데 사람 구하다 보면 하루 해가 다 가. 이집트를 여행할 거면 제발 부탁이니까 길로 좀 다녀. 엉뚱한 데로 가서 나중에 사막 한복판에서 벌겋게 익어 쓰러지지 말고. 뭐? 말 나온 김에 이집트에 대해서 얘기해 달라고? 허~, 그렇다면 내가 기꺼이 알려 주지. 나중에 이집트에 오거든 꼭 연락해. 그때 우리 의리로 한번 뭉쳐 보자고.

이집트는 거대한 박물관

이집트의 정식 명칭은 이집트 인민 공화국이야. 면적이 100만 2,000km², 우리 나라의 약 5배 정도지. 수도는 카이로이고 전체 인구는 약 6,600만 명(2001년 기준) 정도야. 공식 언어는 아랍어이고 영어와 불어도 사용해. 이집트인 대부분이 이슬람교를 믿고 있지만 초기 기독교인 곱틱교를 믿는 사람들도 있단다.

28

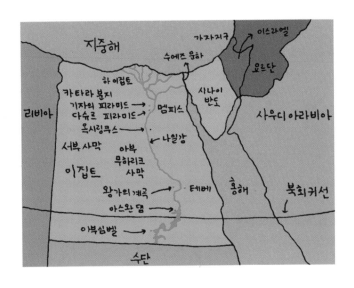

이집트는 사막 기후이면서 동시에 지중해성 기후를 가지고 있어. 한마디로 종잡을 수 없는 날씨라고나 할까? 화폐 단위는 이집트파운드를 쓰는데 우리 나라 돈으로 천 원이면 약 4.65파운드쯤 될걸.

이집트는 한국보다 7시간 정도 늦으니까 공항에 도착할 때 깜깜한 밤중에 도착하지 않으려면 시간 계산을 잘해야 할 거야. 유명한 관광지로는 피라미드, 스핑크스, 이집트 고고학 박물관, 아기예수피난교회, 카르나크 신전, 룩소르 신전, 아스완 댐, 왕가의 계곡, 아부심벨 신전. 헥헥~ 말도 마, 이집트 국가 전체가 한마디로 거대한 박물관인 셈이라니까.

고대 이집트의 역사

이집트는 3천 년의 세월이 흐르는 동안 침략을 받기도 하고, 또 이웃 나라들을 지배하기도 하면서 파란만장한 역사를 보

냈지. 수많은 세월을 지내 오면서 이집트의 수도는 여러 차례 바뀌었어. 통일되어 번영을 누리기도 했고, 나누어져 힘이 약해진 시기도 있었단다. 나중에는 로마의 속국이 되어 조공을 바치기도 했으니까 말이야. 그래도 이집트는 오랜 시간에 걸쳐 건설되었으나 3천 년 동안 국경이 거의 변하지 않은, 세계에서 가장 오래된 국가 중 하나라는 거 아니겠어. 시대별로 그 특징에 따라 이집트 역사를 여섯 단계로 나눠 볼게.

초기 왕조 시대(기원전 3150년~기원전 2686년)   **고왕국 시대**(기원전 2686년~기원전 2181년)   **중왕국 시대**(기원전 2040년~기원전 1782년)   **신왕국 시대**(기원전 1570년~기원전 1070년)   **말기 왕조 시대**(기원전 525년~기원전 332년)   **로마제국의 속국 시대**(기원전 30년~서기 641년) – 238페이지 참조

압둘과 함께하는 생활 아랍어 시간

이집트를 여행하려면 이집트 말 몇 마디쯤은 배워 두는 게 좋아. 이집트는 생활이 어려워 국민의 60% 가까이가 글을 못 읽는 문맹자거든. 그러니 영어가 통할 거라는 생각은 아예 안 하는 게 좋아. 내가 이집트에서 바로 활용할 수 있는 회화를 알려 주지. 다들 따라해 봐.

▶ 아침인사 – **싸바할케에르** / 대답 – **싸바한 누르**

▶ 저녁인사 – **메쎄일 케르** / 대답 – **메쎄한 누르**

▶ 환영합니다 – **아흘란 와 싸흘란**

▶ 모두 얼마입니까? – **일 헤세프 캠? 꼴루 캠?**

▶ 비싸다 – **갈리**

▷ 고마워 – **슈크란**

▷ 어디서 왔니? – **엔따(엔띠) 민휀?**
   한국에서 왔어 – **아나 민 꾸리야**

▷ 예 – **아유와, 남** / 아니오 – **라** / 좋아 – **메쉬, 하디르**

▷ 여기서 내리겠습니다 – **헤나 꾸와이스, 니질**

더 배우고 싶으면 사막에 와서 날 찾아. 내가 본토 발음으로
멋지게 알려 줄 테니까. 물론 수강료는 공짜가 아니라는 것쯤
은 알고 있겠지?

EGYPT

사진으로 보는 이집트

사진으로 보는 고대 이집트 유적
촬칵, 이집트를 내 맘에 새겨볼까나!

1) 기자에 위치한 쿠푸 왕의 피라미드. 앞의 조그만 피라미드는 멘카우레 왕의 왕비들을 위한 것이다.

2) 룩소르 신전 입구에 양쪽으로 장엄하게 늘어서 신전의 성스러움을 수호하는 스핑크스

3) 룩소르의 아몬신전, 나란히 서 있던 오벨리스크 중 하나는 파리 콩코드 광장으로 반출됐다.

4) 람세스 2세가 세운 건축물 중 최고의 걸작이라 일컬어지는 아부심벨 신전

5) 아부심벨에 있는 왕비 네페르타리의 신전, 남편인 람세스 2세가 만들었다.

6) 기자의 피라미드 발치에 위치한 거대한 스핑크스

7) 아부심벨 신전의 거대한 람세스 2세 석상

8) 카이로에서 약 20km 떨어진 사카라에 위치한 스핑크스

9) 테디의 재상이자 사위인 메레루카가 마스타바 무덤 제1봉헌실의 가짜 문으로부터 걸어나오고 있다.

사진으로 보는 고대 이집트 유물
우와! 이게 투탕카멘의 황금관이야?

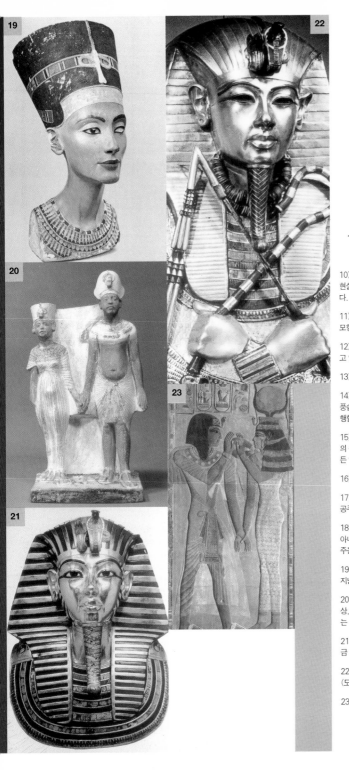

10) 웅크린 아누비스 재칼이 투탕카멘의 무덤 현실에서 보물실로 들어가는 문간을 지키고 있다.

11) 쟁기질 하는 농부와 흙으로 만든 농부의 집 모형, 무덤 부장품

12) 물이 모든 생명의 근원이라는 메시지를 담고 있는 장식품

13) 이집트 귀족 여인이 쓰던 화장용 붓그릇

14) 쿠푸 왕의 장례용 배, 배를 같이 매장하는 풍습이 있었던 것은 지하세계를 흐르는 강을 여행할 수 있도록 하기 위해서였다.

15) 백관을 쓴 멘카우레 왕 양쪽으로 멘카우레의 왕비 카메레르 네브티2세의 생김새를 본따 만든 하토르 여신이 자리잡고 있다.

16) 라호테프 왕자와 그의 부인 노프레트 공주

17) 러시아 인형처럼 겹겹이 포개지는 이집트 공주의 관

18) 투탕카멘의 왕좌에 새겨진 투탕카멘과 그의 아내 안케세나멘, 투탕카멘의 몸에 향수를 발라주는 왕비의 모습이다.

19) 네페르티티의 흉상, 현대적인 아름다움을 지닌 아크나톤 왕의 부인

20) 아크나톤 4세와 네페르티티의 채석 석회암상, 신분의 차이에 따라 조각상의 크기가 달라지는 규범에 의해 왕비가 더 작게 만들어졌다.

21) 투탕카멘 왕의 무덤에서 발견된 장의용 황금 마스크

22) 투탕카멘의 미라가 들어 있던 황금관. 헤카(도리깨)와 네카카(채찍)를 들고 있다.

23) 세티1세와 하토르 여신

이집트 벽화로 보는 생활상
고대 이집트인들은 어떻게 살았을까?

24

25

26

27

24) 무덤 벽에 그려진 포도나무 넝굴, 이집트에서는 포도주를 만들었다.

25) 쟁기질하는 농부. 농부들은 괭이나, 소가 끄는 쟁기 같은 아주 간단한 도구만을 가지고 농사를 지었다.

26) 미라를 싣고 저승 세계로 향하는 배

27) 귀족 연회의 악사와 무용수들

28) 나일 강을 항해하는 모습

29) 세네트(장기놀이)를 하는 귀부인들

30) 대추야자나무 아래서 신에게 기도를 드리고 있는 농민

1부

살아 있는 미라

'여긴 어디지? 살아 있긴 한 건가?'

사막의 모래 폭풍에 휘말려 잠시 정신을 잃었던 노빈손은 의식을 되찾자마자 주위를 둘러보았다. 어디선가 가느다란 불빛이 새어 나오고 있었지만, 이곳이 어딘지 짐작이 되지 않았다. 몸을 움직이려 하자 온몸이 붕대로 친친 감겨 있어 꼼짝도 할 수 없었다.

음음음으—.

말을 하기 위해 입을 열었지만, 입에 한가득 뭔가가 물려 있어서 짐승의 울음같이 알아들을 수 없는 소리가 흘러나왔다. 입 안을 가득 채운 것은 누군가의 양말인지 매캐하고 고약한 냄새가 나서 기절할 지경이었다.

간신히 고개를 돌려 옆을 보았다. 여러 가지 수술 도구 같은 칼과 가위, 그리고 여기저기 튄 붉은 물감들…. 가만, 저건 분명 붉은 물감이 아니라 피였다.

손가락만 베어도 앰뷸런스를 부를 만큼 겁이 많은 노빈손인데, 벽에 붉은 페인트를 칠해 놓은 것처럼 사방에 피라니…. 노빈손이 공포에 질려 버둥거리고 있을 때 누군가를 호되게 야단치는 소리가 들려왔다.

"너 또 사고 칠래? 그래 가지고 일을 배우겠냐, 이 녀석아! 뇌는 코로 구멍을 뚫어서 꺼내라고 몇 번을 얘기했냐. 그리

영생의 비밀을 푸는 열쇠, 미라
고대 이집트인들은 왜 미라를 만들었을까? 그들은 사람이 죽으면 영혼이 몸에서 빠져나왔다가 나중에 다시 자신의 몸에 찾아온다고 믿었다. 그래서 죽은 후에 영혼이 다시 돌아올 수 있도록 몸을 썩지 않게 보존하기 위해 시체를 미라로 만들었다.

고 갈비뼈 밑은 왜 이렇게 크게 쨌어? 게다가 심장까지 꺼내면 어쩌자는 거야? 또 소금은 왜 이렇게 많이 쳤냐? 이러면 사람 피부가 다 쪼그라든다구. 생각 좀 해라, 생각 좀. 머리는 장식품으로 달고 다니냐?"

뇌? 갈비뼈? 심장? 맙소사!

닭을 잡는 것도 아니고 소를 잡는 것도 아니고, 그럼 저 벽에 묻은 피가 진짜 사람 피? 여기가 어딘지는 모르겠지만, 이러다간 가만히 앉아서 바비큐가 되거나 정육점 고기처럼 썰어지는 거 아냐?

겁이 난 노빈손은 발작하듯 몸을 뒤틀어 봤지만, 워낙 꽉 조여져 있어서 고작 발가락만 꼬물거릴 뿐이었다.

"돌파리오 선생님, 이 시체는 살아 있는뎁쇼."

"알고 있다. 이번 거사를 준비하는 데 제물로 쓰라고 주고 가셨지."

"제물이라면…."

"그래, 이번 태양신 제사 때 살아 있는 이방인을 미라로 만들어 제물로 바치신다는군. 개인적으로 말이야, 몰자바 대신은 좋아하지 않지만 미라 만드는 일 30년 만에 이렇게 독특하게 생긴 사람은 처음 본다. 꼭 미라로 만들어서 간직하고 싶어."

노빈손은 겁에 질려 질끈 감고 있던 눈을 조심스레 떴다. 두꺼운 안경을 쓴 노인과 그의 조수로 보이는 남자아이가 보

43

미라를 절이는 천연소금 나트론
미라 제조업자들은 시체의 뇌와 내장을 꺼내고 난 후 시체를 말리고 천연소금 나트론을 뿌렸다. 시체에 수북이 뿌려진 나트론은 시체에 있는 물기를 몽땅 빨아들인다. 시체를 말리는 데만 40일 가량 걸렸다. 천연소금 나트론은 사막에 있는 호수의 가장자리에서 얻을 수 있는데, 미라를 만들 때뿐만 아니라 요리에도 이 소금이 쓰였다.

였다. 노빈손의 눈은 공포에 질려 이렇게 말하고 있었다.

'난 맛없어요. 목욕도 며칠째 못 했다고요!'

하지만 겨우 노빈손의 입에서 나온 것은 짐승의 울음 같은 신음 소리뿐이었다.

"음음으—."

"살아 있는 사람을 미라로 만드는 건 처음이라 떨리는군."

"그런데 몰자바님은 왜 하필이면 태양신 축제에 그런 의식을 하시려는 거죠?"

"듣자 하니까 몰자바님이 예언자에게 찾아가서 미래를 점쳐 봤더니 하늘에서 웬 남자가 떨어질 거라고 했다더군. 아니나 다를까 오늘 오후에 정말 이 남자가 모래 폭풍에 휘말

려 하늘에서 뚝 떨어지지 않았겠냐."

"에이, 설마요. 사람이 어떻게 하늘에서 떨어져요?"

돌파리오는 지팡이로 조수의 머리를 내리치면서 말했다.

"그럼, 이 나이에 내가 너에게 농담하는 거겠냐?"

조수는 머리를 움켜쥐며 신음하면서도 달싹거리는 입을 참지 못했다.

"하늘에서 사람이 떨어지다니, 이렇게 미라로 만들 게 아니라 박물관에 기증해야 하는 거 아니에요?"

"너 두 대 맞고 싶냐? 백성들이 만약 이 사실을 알았다간 얼마나 동요하겠냐. 안 그래도 요즘 부쩍 폭동이 많아졌는데. 그러니까 아예 처음부터 쓰윽—."

돌파리오는 말을 끊고 오른손으로 목을 그어 보였다.

"없애 버리려는 거지. 몰자바 대신이야 워낙 권력에 욕심이 많은 사람이니까 일이 혹시라도 잘못될까봐 조심을 하는 거지. 아무튼 우선 내장부터 꺼내야 하니까 양동이랑 칼부터 가져오너라."

노빈손은 충격으로 인해 몸이 마비될 지경이었다. 노빈손의 몸을 차가운 돌로 만들어진 수술대 위에 눕히고, 수술대 위의 횃대에 불을 붙이자 주변이 환하게 밝아왔다. 서걱서걱 칼 가는 소리가 밀폐된 공간의 공기를 진동시키면서 몇 배나 큰 소리가 되어 되돌아와 노빈손의 귓속에 메아리쳤다.

서걱서걱—.

45

자연적인 미라와 인위적인 미라

미라는 땅 속에 묻히거나 건조 보존되어 만들어진 자연적인 미라와 인위적으로 만든 미라로 나눌 수 있다. 시베리아·유럽·남미의 고원 지대에서 발견되는 자연적인 미라들은 주로 추운 지역에서 냉동된 상태로 보존된 것들이다. 이 밖에도 탄광이나 늪지대 등에서 시신이 묻힌 뒤 산소가 빠져나가 썩지 않고 보존된 경우와 사막 지대의 건조함 때문에 급속한 탈수 현상이 일어나 자연적인 미라가 되는 경우도 있다.

"자, 이제 시작해 볼까?"

푸른빛을 띠는 칼날이 언뜻 보였고, 옆구리를 감은 붕대를 자르는 소리가 들렸다. 그리고 옆구리에 서늘한 것이 와 닿는 느낌이 들자, 온몸에 소름이 쫘악 돋으며 몸에 있는 털이란 털이 모두 쭈욱 일어섰다. 그 때였다.

철컹— 쇠문을 여는 소리와 함께 카랑카랑한 여자애 목소리가 수술실에 울려 퍼졌다.

"돌파리오!"

"아니, 누가 이 중요한 순간에! 오, 크다만파트라 공주마마."

돌파리오와 조수는 소리 나는 곳을 향해 머리를 조아리며 꿇어앉았다.

"공주마마, 대관식을 앞두신 귀한 몸께서 어찌하여 이런 비천한 곳에…."

"오늘 키우던 고양이가 죽어서 데리고 왔어요. 어렸을 때부터 키운 녀석이라 마음이 아프네요. 저세상에서라도 영원히 살 수 있도록 미라로 만들어 주셨으면 해서요."

"제가 기꺼이 만들어 드리겠습니다. 미라를 만드는 데 적어도 70일은 걸리니까 장례는 그 후에 준비하도록 하겠습니다. 고양이 시체는 여기에 두고 가시죠."

"그래요, 잘 부탁해요."

돌파리오와 얘기하고 있는 여자애는 비록 나이는 어리지

꿀단지에는 꿀이, 카노푸스 단지에는 내장이! 미라 제작용 칼은 차돌로 제작했으며 날이 매우 날카롭고 손잡이 부분은 황금으로 감싸져 있다. 미라를 만들 때 꺼낸 간, 허파, 위, 창자를 담아 두는 카노푸스 단지는 관 옆에 매장하는데, 뚜껑에는 각 장기의 수호신 모습이 새겨져 있다.

만, 감히 다가갈 수 없는 카리스마가 흘러나와 주변을 압도하고 있었다. 간단한 목례를 하고 그녀가 방을 나간 후에도 돌파리오는 고개를 들지 못하고 있었다.

"돌파리오 선생님, 공주마마 가셨는데요."

"알아, 알아. 험, 참 묘한 분이야. 어렸을 때부터 봐왔지만, 뭐랄까 장차 여왕이 되고도 남을 분이라고나 할까."

"돌파리오 선생님, 돌파리오 선생님!"

"내가 말하는데 자르지 말랬지. 웬 호들갑이냐, 정신 사납게."

"여기 있던 시체가… 시체가 아니지. 하늘에서 떨어진 남자가 없어졌어요."

"뭐라고?"

다가오는 음모

"뭐라고?"

흥분한 몰자바 대신이 탁자를 주먹으로 내리치자 탁자는 금방이라도 부서질 것 같은 소리를 내며 흔들거렸다.

"지금 그게 말이 된다고 생각해?"

"그게 말이 안 된다고 생각할 수도 있지만, 말이 된다고 생각하는 쪽으로 생각하면 아주 말이 안 되는 것도….."

쥐와 고양이를 미라로 만든 이유

고대 이집트인들은 고양이를 숭배하여 지금까지 30만 마리도 넘는 고양이를 미라로 만들었다. 뿐만 아니라 그들은 많은 수의 쥐도 미라로 만들었는데, 이는 미라가 된 고양이가 내세에서 갖고 놀 쥐가 필요했기 때문이라고 한다. 이집트의 애완용 고양이들은 사람처럼 귀걸이도 하고 있었다.

잔뜩 주눅이 든 돌파리오의 목소리는 점점 기어들어가 나중에는 귓가에 앵앵거리는 모기 소리만해졌다.

"하늘에서 떨어진 인간을 미라로 만들려는 순간, 잠깐 한 눈을 파는 사이에 뿅~ 사라져 버렸다! 그 인간이 무슨 투명 인간이야, 뿅~ 사라지게?"

"워낙 순식간에 일어난 일이라… 정말입니다, 크다만파트라 공주님이 잠깐 오셨던 것 외에는 절대 그 시체… 아니 그 사람에게서 눈을 떼지 않았습니다요."

잔뜩 약이 오른 몰자바 대신의 얼굴이 스팀이라도 뿜을 듯 점점 붉어질수록 겁에 질린 돌파리오의 얼굴빛은 점점 더 창백해지고 있었다.

"그런데 왜, 어째서, 그 남자를 놓쳤냐구! 잠깐, 지금 뭐라고 했어? 크다만파트라가 왔었다고?"

"네, 공주님이 애완동물 하나가 죽었다고 미라를 만들어 달라고 들르셨죠."

"공주가?"

몰자바 대신의 눈이 가늘어졌다.

만약 공주가 하늘에서 떨어진 사람을 숨겼다면? 몰자바는 노빈손을 발견하자마자 그 즉시 없애 버리지 못한 것을 후회했다. 어쩌면 공주가 그를 숨겼을지도 모른다. 나이가 어리긴 하지만 무시하지 못할 만큼 총명한 아이니까. 만약 하늘에서 떨어진 사람 때문에 민심이 동요하기라도 한다면 권력

애완용 고양이의 역사
인간이 고양이를 애완용으로 키우게 된 것은 개보다 훨씬 후의 일이다. 이집트인들은 인류 최초로 야생 고양이를 잡아 애완용으로 길들인 사람들이다. 고양이를 애완용으로 기르는 습관은 이집트에서 그리스를 통해 유럽과 아시아로 퍼져나갔다. 고대 이집트 사람들은 고양이의 울음소리가 '미우~'라고 생각해서 미우(miw)라고 불렀다. 이름 짓기 정말 간단하지?

을 장악하는 일은 더더욱 멀어질 것이 틀림없다. 그렇게 되면… 일의 진행을 좀더 서둘러야겠군.

"돌파리오!"

"네에. 저는 그게… 놀라서 여기저기 찾아봤는데… 그게 그러니까…."

"됐어, 그만 하고. 대신 그 시체, 아니 하늘에서 떨어진 그 남자의 얼굴을 기억하지?"

"기억하고말고요. 웬만큼 특이하게 생겼어야죠."

"그럼 사람을 시켜서 파피루스에 초상화를 그리게 하고, 전 지역에 현상 수배를 내리도록 해라. 상금도 두둑이 걸고 말이야. 결혼식 때까지 그 녀석의 발목을 확실히 묶어 버려라. 그리고 이제부터 공주의 주변을 철저히 감시하도록!"

몰자바는 하늘에서 떨어진 사람과 공주를 같이 없애 버리는 장면을 떠올리고는 입가 한쪽 끝을 일그러뜨리며 웃었다.

숨겨진 고대 이집트 왕국

"유모, 피곤해서 일찍 자야겠어요. 그만 가봐요."

유모가 나가자 크다만파트라 공주는 재빨리 일어나 장식장을 열었다. 그 속엔 노빈손이 기억자로 꺾인 자세로 잠들어 있었다.

미라로 제작된 동물 리스트

사람들은 어느 시대나 가축과 특별한 관계를 맺어 왔다. 하지만 악어, 뱀, 하마, 쥐, 개구리처럼 징그러운 동물들은 어땠을까? 고대 이집트인들이 미라로 제작한 동물 리스트를 공개한다. 황소, 염소, 개, 늑대, 족제비, 쥐, 뱀, 고슴도치, 하마, 박쥐, 개구리, 물고기, 뱀장어, 까마귀, 거위, 전갈, 비비원숭이 등이 미라로 만들어졌다.

"그만 일어나, 일어나라구. 그렇게 자다간 목이 꺾이겠다."

"음냐음냐~."

크다만파트라 공주의 목소리에 부스스 눈을 뜬 노빈손은 하품을 늘어지게 하며 주위를 둘러보았다.

"뭐야? 연극은 이제 다 끝난 거야?"

"뭐라고?"

노빈손은 장식장에서 빠져나와 주위를 둘러보며, 박수를 치기 시작했다.

"브라보, 브라보!"

노빈손은 휘파람까지 불어대며 박수를 쳤다.

"오, 대단한데. 의상하며 소품까지… 완벽해."

"무슨 소리야?"

"하도 리얼해서 깜빡 속을 뻔했지 뭐야. 야, 진짜 재밌다, 이집트 체험도 하고 스릴도 있고. 이거야말로 최고의 관광 상품인걸. 다들 배우해도 되겠다."

노빈손은 이 모든 상황이 피라미드 관광 상품이라고 생각했다.

"무슨 소리야? 이곳은 진짜 이집트 왕국이야. 난 하나뿐인 이집트 왕국의 공주고."

자신이 이집트 공주라고 주장하는 앳된 여자아이는 귀를 덮은 단발머리에 작은 귀금속들이 촘촘히 박혀 있는 화려한 머리끈을 왕관처럼 두르고 있었다. 어깨까지 오는 폭이 넓은

50

파라오의 애완동물 기린

이집트 귀족의 가정에서는 고양이를 키우는 것이 유행이었으며 개나 원숭이, 오리 등도 길렀다. 또 기원전 1450년경 누비아라는 나라에서 기린을 조공으로 바쳤는데, 당시 이집트에는 기린이 살고 있지 않았기 때문에 파라오가 특별히 이 기린을 애완동물로 키웠다고 한다.

목걸이에는 색색의 구슬들이 박혀 있고, 금색의 원피스는 가느다란 황금실로 짠 듯 찰랑거리며 빛을 내고 있었다.

"예쁘다!"

노빈손은 자신도 모르게 중얼거렸다.

"나도 알아. 넌 당연한 걸 상당히 진지하게 말하는구나."

윽, 예쁜 것까지는 좋았는데 공주병 환자라니…. 21세기에는 멸종됐으면 하는 질병 중 하나가 공주병인데.

노빈손은 말숙이를 통해 그 병의 위험성을 몸소 체험하며 살아왔기 때문에 순간 움찔하며 여자애에게서 물러났다.

"내 주변에 공주병 환자는 말숙이 하나로 족하다고."

"무엄하다, 감히 나 크다만파트라 공주에게!"

크다만파트라 공주라고? 노빈손은 웃음이 터져나왔다.

"네가 공주면, 난 페르시아 왕자다!"

세기의 미인 클레오파트라는 들어 봤어도 자라다 만 파트라 얘긴 들어 본 적이 없다구. 그렇다면 혹시 언니는 다자란 팥트라? 아니면 다자란콩트라?

"그렇게 안 생긴 애가 실없는 소리를 다 하네. 고대 이집트 왕국이 멸망한 지 3천 년이나 됐다구. 날 너무 상식 없는 애로 보는 거 아냐?"

"이집트 왕국이 멸망하다니, 무슨 소리야? 이렇게 사막 한 가운데 버젓이 존재하는데."

노빈손은 또다시 웃음이 터져나오려 했지만, 진지하게 설

클레오파트라는 이집트인이 아니라 그리스인 그리스의 알렉산드로 대왕이 기원전 323년경에 이집트를 정복한 후 프톨레마이오스 왕가를 세워 이집트를 통치했다. 프톨레마이오스 왕가의 마지막 왕이 바로 그 유명한 클레오파트라 여왕이다. 그녀는 프톨레마이오스 왕가의 파라오 중 유일하게 그리스어뿐 아니라 이집트어도 말할 수 있는 파라오였다고 한다.

명하는 성의를 생각해서 좀더 들어 보기로 했다.

"네가 믿거나 말거나 그건 사실이야. 주변을 둘러봐. 거대한 암벽이 병풍처럼 둘러싸고 있는 게 보일 거야. 이 자연 환경이 천혜의 요새 역할을 해서 외부 세력이 전혀 침범할 수 없었지."

설명하는 모습이 너무 진지해서 아무리 봐도 실없이 농담하는 것 같진 않았다. 하지만 크다만파트라 공주의 긴 설명에도 노빈손은 지금 이 상황을 믿을 수 없었다. 아니, 믿기 싫었다.

맙소사! 사막 한가운데 숨겨진 고대 이집트 왕국이라니.

"이제 네 차례야. 넌 도대체 누구지?"

카펫 속에서 나온 미인, 클레오파트라

자신의 친오빠와 왕위 다툼을 하던 클레오파트라 여왕은 몰래 로마의 실력자 카이사르를 만나기 위해 두루마리 카펫 속에 몸을 숨기고 왕성으로 들어갔다. 카펫을 풀자 미모의 젊은 여인이 나왔으니 카이사르가 얼마나 놀랐겠는가? 그 후 클레오파트라 여왕은 카이사르의 마음을 얻고 그의 도움을 받아 숙적 프톨레마이오스 13세를 물리친다.

"난 노빈손이야. 세계를 여행 중이었지. 이곳에 떨어지기 전까진 말이야. 아직 정리가 안 되는데, 그러니까 지금 벌어지는 모든 일들이 다 실제 상황이라는 거야?"

"몇 번을 설명해야겠어. 속고만 살았니?"

"잠깐, 그러면 아까 내가 진짜 미라가 될 뻔했던 거야?"

"그런 셈이지. 참, 배고프지? 먹을 걸 챙겨 왔…"

쿵! 노빈손은 충격으로 기절해서 그만 바닥에 철썩 붙어 버렸다.

예언의 파피루스

노빈손이 다시 정신을 차려 보니 크다만파트라가 어느새 하늘하늘한 아마포 평상복으로 갈아입고 노빈손을 바라보고 있었다. 그와 동시에 이 모든 것이 꿈이었으면 했던 노빈손의 마지막 희망도 사라졌다.

"이번 세계 여행도 이렇게 꼬이게 될 줄이야."

문득 세계 구석구석을 돌아다녀야 하는데 한 곳에 너무 오래 있었다는 생각이 들었다.

"크다만파트라, 그 동안 신세 많이 졌어. 이제 슬슬 떠나야 할 때가 된 것 같다."

"가긴 어딜 간다는 거야?"

다용도 만능 파피루스 나무
지중해 연안의 습지에서 무리지어 자라는 나무로 높이는 1~2m이다. 줄기는 둔한 삼각형이고 짙은 녹색이며 마디가 없다. 고대 이집트에서는 이 나무의 줄기 껍질을 벗겨내고 속을 가늘게 찢은 뒤, 엮어 말려서 다시 매끄럽게 하여 파피루스라는 종이를 만들었다. 종이뿐 아니라 보트·돛대·매트·옷·끈 등을 만들었고, 식용으로도 사용되었다.

"당연히 다시 세계 여행을 떠나야지. 미라가 될 뻔한 걸 구해 줘서 정말 고마워. 잊지 못할 거야."

크다만파트라 공주는 커다란 눈을 더 커다랗게 떴다.

"어떻게 갈 건데?"

"어떻게 가냐니? 비행기 타고 가야지. 남자가 칼을 뽑았으면 삶은 호박이라도 찔러 봐야지. 명색이 세계 여행인데 여기서 주저앉을 수는 없잖아."

"한 가지 말해 둘 게 있는데, 네가 우리 이집트 왕국을 방문한 최초의 이방인이야. 그 동안 이곳을 찾아오는 사람도 없었고, 나간 사람도 없었어. 바깥 세상으로 나가는 길을 찾아나섰던 사람들은 모두 사막에서 시체로 발견됐거든. 아마 너도 모래 폭풍이 아니었다면 이곳에 오지 못했을 거야."

아악! 그럼 사막 한가운데 자리잡고 있는 고대 이집트 왕국에 고스란히 갇혀 버렸다는 얘기란 말인가?

"오 마이 갓! 그러면 나를 미라로 만들려고 했던 사람들은 대체 누구야?"

"예언자가 말했어. 누군가가 이집트를 구원할 메시지를 가지고 하늘에서 떨어질 거라고. 그런데 정말로 하늘에서 네가 뚝 떨어진 거야. 몰자바는 이집트를 송두리째 손에 넣기 위해 호시탐탐 노리고 있었는데, 네가 갑자기 나타나자 방해가 되지 않도록 너를 산 채로 미라로 만들어 버리려고 했던 거야."

이름만 있고 성은 없다
고대 이집트 사람들은 이름만 있고 성이 없었다. 기록에 등장하는 사람들의 이름을 보면 직책과 직업이 나온 뒤, 하나 혹은 두 개의 이름이 따라 나오는 걸 볼 수 있다. 혼동을 피하기 위해 아버지나 어머니의 이름을 덧붙이기도 했으며, 별명이 이름처럼 불리는 사람도 있었다.

"그렇다고 살아 있는 사람을 미라로 만들려고 했단 말이야?"

"몰자바는 그것보다 더한 일도 할 사람인걸."

"너 공주라면서? 그런 놈을 좀 혼내 주지 그랬어?"

"그러고 싶지만, 난 힘이 없어. 게다가 좀 있으면 예순이넘은 그와 결혼까지 해야 하는걸."

공주의 말에 노빈손은 폴짝 뛰었다.

"뭐, 겨, 결혼? 나이도 어려 보이는데. 여기 이집트에도 민며느리 제도가 있니?"

크다만파트라의 어둡고 슬픈 표정을 보니, 그녀가 원하지않는 결혼을 할 수밖에 없는 입장이라는 걸 쉽게 짐작할 수있었다. 크다만파트라 공주의 긴 속눈썹에 금세 방울방울 눈물이 맺혔다.

"울지 마. 그렇게 울어 버리면 내가 너무 미안하잖아. 울리려고 한 말은 아닌데. 이걸로 눈물 닦아."

노빈손은 주머니에서 두루마리를 꺼내 공주에게 건네며진심으로 미안해했다. 공주도 노빈손의 진심이 전해졌는지아까보다 많이 부드러워진 표정이었다.

크다만파트라 공주는 노빈손이 준 종이로 눈물을 닦으려다가 멈칫했다.

"아얏, 뭐가 이렇게 빳빳해. 노빈손, 이건 손수건이 아니라파피루스잖아."

최초의 수학책 린드 파피루스

기원전 1650년경에 만들어진 것으로 추정되는 린드 파피루스는 세계에서 가장 오래된 수학책의 하나로, 고대 이집트 시대의 서기 아메스가 기록한 것으로 알려져 있다. 산술·대수·기하 등을 기록하여 남겼으며, 대부분 일상 생활과 밀접한 관계가 있는 실용적인 문제들을 수록한 수학책이다. 특이한 것은 문제를 풀 때 공식을 전혀 사용하지 않았다.

뭐, 파피루스? 노빈손은 파피루스가 옛날 이집트 사람들이 파피루스라는 식물의 줄기를 말리고 다져서 만들었다는 인류 최초의 종이라는 사실은 알았지만 실물을 본 것은 처음이었다.

"오, 이게 파피루스라고?"

"파피루스로 눈물을 닦았다간 얼굴이 온통 상처투성이가 될 거라구."

무심코 두루마리를 들여다보던 크다만파트라 공주의 안색이 변했다.

"잠깐 여기 좀 봐."

크다만파트라가 낡은 파피루스를 뒤집자 그 뒷면에는 매, 풍뎅이, 지팡이 같은 알 수 없는 그림들이 가득했다.

"이게 뭐야? 내가 그려도 이것보단 낫겠다. 꼭 유치원 애들이 그려 놓은 그림같이 생겼는걸."

"바보야, 이건 그림이 아니라 글자야. 이집트 문자라구."

그러고 보니 낯익은 것이 이집트 화폐에서도 언뜻 본 바로 그 상형문자였다. 이집트에 관한 책을 읽을 때면 빠짐없이 등장하던 게 저 문자였지.

노빈손은 그제야 그 문자를 피라미드 내부의 벽에서도 본 기억이 났다.

"그래? 뭐라고 적혀 있어?"

"노빈손, 똑똑한 척하더니 글자도 못 읽는구나?"

하형문자의 반대말, 상형문자?
상형문자는 사물을 본 떠 그 사물이나 그것과 관련된 관념을 나타낸 문자로, 특히 초기의 한자와 고대 이집트 문자를 말한다. 고대의 4대 문명은 모두 독자적인 상형문자를 발전시켰다. 중앙 아메리카의 고대 문명을 이루었던 마야·아스텍족 사이에도 괴상한 사람의 얼굴이나 장식 등으로 나타내는 일종의 상형문자가 사용된 기록이 지금도 남아 있다.

"무슨 소리야. 나라 말쌈이 듕국에 달아… 뿌리 기픈 나무는 바람에…. 뭐더라… 아무튼 너 훈민정음 알아? 훈민정음!"

"훈민정음이 뭔데?"

"거봐, 크다만파트라가 훈민정음을 모르는 거나 내가 이집트 문자를 모르는 거나 마찬가지라고. 내가 이래뱄도 대학생인데 글자도 모르는 문맹이겠냐고?"

"글쎄, 하지만 별로 공부 잘하는 학생은 아니었을 것 같은데…."

뜨끔.

문서를 읽어 내려가던 크다만파트라의 얼굴이 창백해지기 시작했다.

"위대한 어머니 이시스가 12명의 아들을 낳았다.
12명의 아들이 사는 신성한 골짜기에 달이 뜨면
세 번째 아들의 통곡 소리가 들린다.
불의 강 속에 네 몸을 던져라.
삶도 하나, 죽음도 하나
그 둘은 한 몸이고 다르지 않으니…."

그녀는 문서 읽는 것을 멈추고 노빈손을 바라봤다.

"얼굴빛이 왜 그래? 모르는 글자라도 나왔어?"

사자의 서
고대 이집트에서 미라와 함께 매장한, 사후 세계의 안내서라고 할 수 있다. 파피루스나 가죽 등의 두루마리에 적힌 글로, 제18왕조 이후에 매장되었다. 죽은 이는 사후 세계에서 여러 가지 사건을 겪는다고 하는데, 그럴 때 외우는 주문이나 신들에 대한 서약에 대해 적혀 있다. 고대 이집트인들의 내세관을 알 수 있는 귀중한 사료이다.

"이, 이건… 헤카에 관한 문서 같아."

"헤카?"

"쉿, 조용히. 누가 들을라."

"헤카가 도대체 뭔데?"

크다만파트라에게 입을 막힌 노빈손은 버둥거렸지만, 공주는 사방을 두리번거리더니 노빈손의 입을 막은 손에 더 힘을 주었다.

"알려고 하지 마. 이건 너마저 위험하게 만들 수 있어."

절대 헤카를 찾아서

"전설이 사실이었어. 여기 이 파피루스가 그 증거야. 아, 절대 헤카만 찾으면…."

크다만파트라의 목소리가 가늘게 떨렸다.

"찾으면…?"

"예언서와 예지자들에 의하면 절대 헤카를 가진 사람은 누구도 넘볼 수 없는 절대적인 왕권을 가질 수 있다고 해. 이 예언의 파피루스는 절대 헤카가 있는 곳을 알려 주는 유일한 단서야."

"예언의 파피루스?"

"전설로만 전해지던 파피루스를 말해. 헤카를 찾는 힌트들

왕의 호칭, 파라오

고대 이집트 왕의 호칭인 파라오의 어원은 큰집, 혹은 왕궁이라는 뜻을 가진 '페르 오'이며, 성경에도 그 이름이 자주 나온다. 파라오는 고왕국 시대에는 호루스(태양신), 2여신, 황금의 호루스, 상·하 이집트 왕, 태양의 아들 등 여러 가지 칭호로 불리기도 했다. 파라오는 최고 신관이기도 하고 동시에 전쟁에서는 최고 사령관이기도 하였다. 그러니 불리는 이름이 많은 것은 당연한 일!

이 적혀 있다고 들었는데, 지금까지 아무도 본 적이 없었어. 그런데 왜 반이 잘려져 있지?"

크다만파트라가 그다지 꼼꼼해 보이지 않는 노빈손에게 질책하는 눈빛을 보냈다.

"이거 왜 이래? 내가 안 찢었어. 난 아니라구."

공주는 조그맣게 한숨을 내쉬었다.

"이 파피루스에 쓰인 대로 절대 헤카만 찾을 수 있다면 나도 원하지 않는 결혼을 하지 않아도 되는데. 몰자바와의 약혼도 없었던 일이 되고 말이야."

그 말에 노빈손은 귀가 번쩍 뜨였다.

"정말? 그렇다면 뭘 망설여. 함께 찾아보자."

"네가?"

"왜 이래. 이래봬도 산전수전 공중전까지 두루 단련된 몸이라고. 그리고 내 취미가 원래 남의 일 돕는 거야. 그냥 가만히 앉아 있다가 할아버지랑 결혼하느니 한번 시도라도 해봐야 하지 않겠어? 실패하는 것보다 더 나쁜 건 아예 시도조차 하지 않는 거라고."

공주는 노빈손이 못미더우면서도 한편으론 자신의 일처럼 나서 주는 것이 고마웠다.

그리고 왜 한 번도 노빈손처럼 적극적으로 나서서 자신의 운명을 바꿀 생각을 해보지 않았을까 하는 데 생각이 미쳤다. 노빈손을 완전히 믿을 수는 없지만, 절대 헤카에 관한 한

파라오는 양치기?
파라오는 절대 권력을 나타내는 상징이다. 오른손에는 네카카(도리깨 모양의 왕홀)를, 왼손에는 헤카를 쥔다. 헤카는 목동들이 양을 몰 때 사용하는 지팡이를 말하는데, 그럼 파라오가 부업으로 양치기를? 설마, 그럴 리가. 파라오가 목동의 지팡이인 헤카를 든 이유는 백성들을 이끈다는 것을 상징한다.

줄기 희망을 갖고 노빈손과 함께 헤카를 찾아 떠나기로 결심했다.

"그래, 같이 가보자."

"좋았어. 그런데 혹시 말이야, 헤카를 찾아 준 사람과 공주가 결혼해야 한다는 얘기는 없었어? <u>흐흐흐</u>."

퍼억—.

노빈손, 미니스커트를 입다

크다만파트라가 준 이집트의 남자 옷을 입고 노빈손도 본격적으로 절대 헤카를 찾아 떠날 준비를 했다. 공주가 준비한 의상이라고 해서 꽤 기대를 했는데, 공주가 건넨 가방 속에는 미니스커트처럼 생긴 짧은 치마만 달랑 담겨 있었다.

"이럴 줄 알았으면 다리털이라도 밀고 올걸. 아~ 난 뭘 입어도 왜 이렇게 멋진 거야?"

노빈손은 거울 속의 자신에게 윙크를 해 보였다.

"어? 이건 뭐지?"

가방 바닥엔 단발머리 길이의 검은색 가발이 들어 있었다. 숱이 아주 많아 보이는 가발이었다.

"보면 몰라? 이집트에선 남자고 여자고 다들 가발을 써. 이대로 나가면 널 알아보는 사람들이 많아서 곤란한 일이 생

이집트인들의 옷 1
뜨겁고 건조한 아열대성 기후에 적응하기 위해 이집트인들은 공기가 잘 통하는 마직 천으로 허리 아래만 간단히 두르거나 느슨하게 휘둘러 입는 드레이퍼리형 옷을 입었다.

길지도 모르니까 가발을 쓰는 게 좋을 거야."

헉—.

노빈손이 가발을 쓰고 돌아서자 크다만파트라는 놀란 가슴을 쓸어내리며 진정시켰다.

"가발 쓰기 전에는 얼굴이 조금 특이하게 생겼었는데, 지금 보니까… 진짜 특이하게 생겼구나."

"흠, 이거 왜 이래? 이래봬도 대한민국 표준 미남이라고."

"대한민국이란 나라는 정말 특이한 나란가 보다."

"넌 준비 다 됐니?"

노빈손이 돌아본 곳에는 정말 준비가 다 된 크다만파트라가 있었다. 수십 명의 시종들과 함께.

"아니, 이 사람들은 다 누구야? 저 짐은 또 뭐고… 너 어디 이사 가?"

"필수품만 챙긴 거야. 원래 공주의 행차엔 100명의 가마꾼과 요리사, 미용사까지 딸려온다는 거 몰라? 하지만 오늘은 정말 줄이고 줄여서 꼭 필요한 20명 정도만 골라냈어."

크다만파트라 공주의 뒤로 짐을 산더미로 이고 지고 있는 사람들과, 등에 짐이 잔뜩 실린 수십 마리의 낙타가 출발 명령만 기다리며 대기하고 있었다. 노빈손은 이렇게 철없는 공주와 함께 헤카를 찾아 나서야 한다는 사실에 걱정이 되기 시작했다.

짐을 최대한 적게 해서 은밀히 떠나도 몰자바 일당에게 들

이집트인들의 옷 2
사막의 유목민 천막에서 유래한 드레이퍼리는 움직임에 따라 주름이 생겼다 없어지면서 영혼불멸의 신비를 상징적으로 나타낸다. 화려한 가발, 머리쓰개, 왕관 등은 왕족을 중심으로 한 강한 권력의 상징이었고, 노예 계급은 맨몸을 거의 드러내는 로인클로스(허리에 두르는 옷)를 걸쳤다.

킬까봐 걱정스러운데, 이런 크다만파트라의 행동은 도저히 이해가 되지 않았다.

하지만 크다만파트라 공주 역시 노빈손의 생각을 이해하지 못했다. 어려서부터 왕권의 유일한 후계자로 커온 그녀에게는 이런 일들이 너무나 당연했기 때문이다.

"몰자바가 언제 쫓아올지 모르는 상황에서 이게 다 뭐야? 아예 모든 사람들이 다 알게 머리에 띠라도 두르지 그래. '절대 헤카를 찾으러 가는 것임'이라고 말이야. 그리고 짐은 왜 저렇게 많아? 꼭 필요한 것만 챙기라고 했잖아."

"꼭 필요한 것만 챙긴 거라니까. 하나도 빼놓을 수 없는 것들이야."

"세상에, 무슨 여행 가는 애가 이렇게 짐을 야무지게 챙겼냐. 정말 없는 게 없군. 집에서 쓰던 꽃병까지 챙겨오다니. 여행 가는데 꽃병이 대체 왜 필요한데?"

"꽃향기가 피부 미용에 좋거든. 들어는 봤나, 아로마 향기요법!"

베일이 살짝 날리며 드러난 크다만파트라의 얼굴을 보고 노빈손은 깜짝 놀랐다. 눈가는 검은 가루로 선을 그어 눈이 커 보이도록 하고, 눈두덩에는 청록색, 입술에는 붉은색으로 요란한 화장을 한 것이다.

"예쁜 여자 처음 봐? 뭘 그렇게 빤히 쳐다봐."

으, 저 공주병—!

처음으로 가발을 쓴 사람들
서양에서는 기원전 30세기경 고대 이집트에서 처음으로 사용되었다. 가발은 장식은 물론이고 머리를 햇볕으로부터 보호하는 역할을 했다. 최고 재료는 사람의 머리카락이지만, 양의 털이나 종려 잎의 섬유 등을 사용하기도 했다. 일반적으로 남성은 머리를 깎고 사용했으나, 여성은 자기 머리 위에 가발을 썼다.

노빈손은 한마디 해주려다가 그만두었다. 크다만파트라를
공주병 환자 취급하기엔… 크다만파트라는 정말 말 그대로
공주니까.

이집트 미녀의 화장법
따라잡기
이집트에서는 더운 기
후에 피부를 보호하고
날벌레들을 쫓기 위해
눈 주위에 초록색 연고
를 발랐다. 부유한 상류
층에서는 곤충의 알을
으깨서 만든 크림을 사
용했으며, 입술은 헤나
라는 식물에서 추출한
즙을 발라 붉게 물들였
다. 이런 전통들이 이어
져 현재의 화장이 됐다
고 하니까, 어찌 보면
노빈손은 지금 인류 최
초의 멋쟁이들과 함께
있는 셈이다.

돌파리오와 함께하는 미라 만들기

뭐라고? 코에 갈고리를 넣어 뇌부터 꺼낸다고?

고대 이집트 사람들은 늙거나 병들어 죽는 것이 삶의 끝이라고 생각하지 않았어. 인간은 육체와 영혼으로 이루어져 있지만, 육체가 죽은 후에도 영혼은 죽지 않고 다시 부활해 영원한 삶을 산다고 믿었지. 현세에선 비록 어렵고 힘들게 살지만, 사후 세계에선 꼭 영화를 누릴 것이라고 믿고 죽은 사람을 미라로 만들어 보존했던 거야.

보다 오래도록 시신을 보존하기 위한 그들의 열망이 미라로 표현된 거지. 나 같은 미라장이들은 사회에서 한몫을 하는 당당한 전문직이었다고.

미라 만드는 법

이 방법은 지금까지 발견된 증거와 이집트를 여행한 그리스 역사가 헤로도토스(Herodotos)의 기록을 바탕으로 한 것이다.

주의 노약자나 어린이, 임산부, 심장이 약한 사람도 읽을 수 있음.

1단계

죽은 파라오의 몸을 깨끗하게 씻고 향기 나는 기름으로 처리한다. 그 다음 왼쪽 콧구멍 속으로 길고 뾰족한 갈고리를 넣어 두개골까지 구멍을 뚫어 두뇌를 꺼낸다. 이집트인들은 뇌는 다음 세상에서 필요없다고 여겼다.

2단계

왼쪽 갈비뼈 밑을 갈라 심장만 제자리에 남겨 둔 채 간, 허파, 창자, 위를 꺼낸다. 여기서 몸 안에 심장만 남겨 두는 것이 포인트. 다음 세상에서 심장의 무게를 달아 봐야 하므로 절대 잊어서는 안 되는 필수 사항이다. 꺼낸 장기들은 각각 썩지 않게 처리하여 항아리에 따로따로 담아 보관한다. 이 네 개의 항아리를 '카노푸스 단지'라고 부르는데, 뚜껑에는 각 장기의 수호신 모습이 새겨져 있다.

뚜껑을 죽은 사람의 얼굴로 만들기도 했으나, 가장 보편적인 것은 호루스 신의 네 아들을 조각한 것이다. 사람 머리를 한 임세트는 간을, 원숭이 머리를 한 하피는 허파를, 재칼의 머리를 한 두아무테프는 위를, 매의 머리를 한 케베세누프는 창자를 보호한다.

임세트 : 간을 지켜 주는 이집트인
두아무테프 : 위를 지켜 주는 재칼
케베세누프 : 창자를 지켜 주는 매
하피 : 허파를 지켜 주는 원숭이

3단계

장기를 꺼낸 몸 속에는 부패를 방지하는 효능이 있는 이집트 자연산 방부 소금 나트론을 헝겊에 싸서 야무지게 꼭꼭 채워 넣는다. 이 때 시체의 모양이 흐트러지지 않도록 주의한다.

4단계

몸 전체를 나트론으로 뒤집어씌워 말리며, 몸에서 나오는 체액은 작은 구멍으로 흐르도록 놔둔다. 40일이 지나면 나트론을 걷어내고, 바짝 말라서 딱딱하게 굳은 몸을 씻겨 기름칠을 하고, 냄새 좋은 향료를 뿌린 후 송진으로 문질러 준다. 몸과 머릿속의 빈 공간에 헝겊을 채워 몸 모양을 다시 만들고, 조심스럽게 몸의 갈랐던 부분을 꿰맨다.(바느질 솜씨가 안 좋은 사람이 하면 미라 옆구리가 터질 수 있으므로 재봉틀 사용을 권하고 싶다.)

5단계

이렇게 만든 미라를 값비싼 보석이나 금으로 덮어야 한다. 이 보석에 새겨진 상징들은 다른 세상에 잘 들어가서 영원히 살기를 기원하는 의미를 담고 있다.

6단계

마지막으로 가늘고 긴 붕대로 미라를 둘러싼다. 이 때 손가락, 발가락, 팔, 다리 등은 따로따로 붕대로 감아 떨어지지 않도록 각별히 조심한다. 붕대를 한 겹 감고 그 위에 시신에 입히는 옷을 놓고 송진 처리를 한다. 그 위에 또 붕대를 감는 방법으로 미라가 거의 정상적인 사람 크기만해질 때까지 감는다.(참고로, 미라를 만드는 데 들어간 붕대의 길이가 농구 코트를 덮고도 남을 정도인 것도 있으니 인내심을 갖고 작업해야 한다.)

7단계

붕대의 맨 끝에 죽은 사람의 이름을 쓰고 머리에는 죽은 사람의 얼굴과 비슷하게 만든 마스크를 씌운다. 영혼이 되돌아왔을 때 자기 몸을 못 알아볼까봐 얼굴의 모습을 담은 마스크를 씌워 두는 것이므로, 너무 잘생기게 그려도 안 되고 너무 못생기게 그려도 안 된다. 마스크를 씌운 후, 마지막으로 끈적끈적한 송진을 입힌 붕대를 감는다.

8단계

이렇게 완성된 미라를 관에 넣는다. 사람 모양으로 생긴 관, 네모반듯한 관 등 취향에 맞는 관을 골라 그 안에 넣고, 죽은 사람이 무사히 여행을 마치길 바라고 영생을 기원하는 기도문 등으로 화려하게 꾸며 장식한다.

9단계

제사장에게 부탁해 미라의 '입을 벌리는 의식'을 갖는다. 이집트 사람들은 미라의 입을 열어 주는 의식을 통해 죽은 이가 저세상에서 다시 먹고 마시고 얘기할 수 있게 된다고 믿었다. 죽은 사람이 다른 세상에서 살 때 불편하지 않도록 무덤 안에 이 세상에서 사용하던 모든 물건을 함께 넣어 준다.(살아 있는 사람이나 동물을 함께 묻기도 했으므로 절대 미라와 친하게 지내지 말 것!)

2부

진흙 비듬으로 위기를 모면하다

아직 새벽빛이 밝아오지 않은 어둠 속으로 다리 달린 짐 한 개와 여자아이 한 명이 걸음을 재촉하며 어딘가를 향하고 있었다. 노빈손은 공주의 무거운 짐의 무게에 눌려 등이 기역자로 휘어지는 바람에, 옆에서 보면 마치 짐에 다리가 달린 것처럼 보였다. 공주를 겨우 달래고 설득해서 짐을 최대한으로 줄였지만, 그래도 노빈손이 짊어지고 가기에는 너무 많았던 것이다.

동이 터오자 마을을 뒤덮고 있던 어둠은 스멀스멀 건물들의 그림자 밑으로 파고들었고, 여기저기서 부지런한 사람들이 거리로 나서기 시작했다. 사람들은 무거운 짐을 낑낑거리며 들고 가는 노빈손과 공주를 그냥 지나치지 못하고 가던 걸음을 멈춰 돌아보며 뭔가를 쑥덕거렸다.

"왜 저렇게 우리를 신기한 눈으로 쳐다보는 거지?"

크다만파트라는 영문을 모르겠다는 표정으로 말했다.

"너 같으면 신기하지 않겠어? 꼭두새벽부터 이삿짐을 둘러메고 끙끙거리며 가고 있는데."

크다만파트라의 무거운 짐을 들고 걸어오느라 많이 지친 노빈손은 저절로 심통이 나는 걸 어쩔 수 없었다.

"웬 놈들이냐, 멈춰라!"

어느새 쫓아왔는지 몰자바의 부하들이 칼이 달린 긴 창을

선탠 로션
고대 이집트에는 선탠 로션을 지급해 주는 관리가 따로 있었다. 람세스 2세 때의 기록에는 피라미드 공사장의 인부들에게 선탠 로션을 지급해 주지 않아 파업을 했다는 내용도 있다. 피마자 기름과 올리브 오일로 만든 선탠 로션은 이집트의 모든 신분에 걸쳐 널리 사용된 것으로 보인다.

목에 들이대며 두 사람을 에워쌌다.

"무슨 일이죠?"

태연함을 가장하며 크다만파트라가 물었다.

"저 피부가 흰 녀석은 어디 소속이지? 흰 피부에다 현상 수배범이랑 얼굴이 비슷하게 생긴 것 같은데…"

날씨가 더워 계속 땀이 흘러내리는 바람에 흰 피부를 가리기 위해 바른 진흙 팩이 군데군데 벗겨져 있었다.

뾰족한 창끝이 목을 겨누자 노빈손은 입술만 달싹거릴 뿐 입이 떨어지지 않았다.

"시골에서 온 친척 오빠예요. 우리 집에 잠시 놀러 온 거죠. 피부는 원래 까만데 피부병에 걸려서 이렇게 군데군데 하얗

게 된 거예요. 게다가 현상 수배범이랑 다르게 머리숱이 많잖아요. 그렇지, 오빠?"

이 상황에서 저렇게 태연하게 거짓말을 지어내는 걸 보면 역시 크다만파트라는 강심장임에 틀림없다는 생각이 들었다. 조금이라도 잘못 말했다간 저 칼끝이 춤을 출 텐데. 남자로 태어났으면 정말 장군감이네.

"그, 그럼요. 제가 훨씬 더 잘생겼죠. 사… 사실, 제가 좀 안 씻는 경향이 있어서요. 이것 보세요. 이게 몸에 있는 비듬이라니까요, 비듬."

노빈손이 몸에 말라붙은 진흙을 긁적이자 하얀 가루가 바람에 날렸다.

"에잇, 지저분한 자식. 저런 녀석이 하늘에서 떨어진 사람일 리가 없지. 가자구."

몰자바의 부하들이 지나가자 크다만파트라가 노빈손의 순발력을 다시 봤다는 듯 쳐다봤다.

"리얼하다, 너. 그거 진짜 비듬이지?"

발명왕 이집트인
주위에서 흔히 접할 수 있는 대부분의 생활 필수품들은 이집트 사람들의 작품이다. 고대 이집트인들의 발명품은 맥주, 빵, 유리, 족집게, 침대, 가발, 돛, 매니큐어, 가위 등 열거하자면 숨이 찰 정도로 많다.

한밤의 침입자

날이 저물자 노빈손과 크다만파트라는 근처 여관에 여장을 풀었다.

아침부터 무거운 짐을 들고 먼 길을 걸어온데다. 짐을 줄이기 위해 크다만파트라와 실랑이를 벌이느라 피곤이 쌓인 노빈손은 머리를 바닥에 대자마자 코를 골며 곯아떨어졌다.

"노빈손, 일어나. 노빈손, 어서."

"음냐, 음냐~ 말숙아, 말숙아. 5분만 더 잘게. 따악 5분만."

크다만파트라가 다급한 목소리로 깨웠지만, 잠에 취한 노빈손은 눈을 뜨지 못하고 꿈속을 헤매고 있었다.

"노빈손, 제발!"

노빈손을 흔들며 귓가에 대고 속삭였다.

귀가 간지러워진 노빈손은 간신히 눈을 가늘게 뜨고 크다만파트라를 바라보았다.

"왜 그래, 간지럽게. 우리 나라에선 잠잘 때는 개도 안 건드린다고."

쉬이잇—! 크다만파트라가 조용히 하라며 노빈손의 입을 재빨리 막았다.

노빈손이 놀라 눈을 휘둥그레 뜨자, 크다만파트라는 낮은 목소리로 다시 노빈손의 귓가에 대고 얘기했다.

"제발 조용히 해. 누군가가 들어온 것 같아. 누굴까? 혹시 몰자바가 보낸 사람이 아닐까? 아까 낮에 누군가 미행하는 듯한 느낌이 들었거든. 노빈손, 왜 그래? 얼굴이 점점 창백해지고 있어. 어디 아파?"

달력의 기원
달력의 기원은 이집트로 알려져 있다. 이집트에서는 일찍부터 나일 강이 범람할 때면 동쪽 하늘의 일정한 위치에 시리우스가 나타난다는 사실을 알아내어 태양력을 만들었다. 1년을 365일로 하고 이것을 30일로 이루어진 12달과 연말에 5일을 더하는 식으로 달력을 만든 후 시리우스와 태양의 관계에서 1년이 365.25일이라는 것을 측정했고, 이를 보정하기 위해 4년마다 1일을 더하는 윤년을 만들었다.

노빈손은 크다만파트라의 손을 떼어 내고 숨을 몰아쉬며 말했다.

"입만 막으면 되지, 코까지 막으면 어떻게 하냐고. 쿽쿽~."

"그, 그랬나? 어쨌든 지금 누군가 들어왔다구."

한밤중에 침입한 괴한이라니….

"혹시 도… 도둑…?"

노빈손 사전에 사건이 일어나지 않는 평범한 날이란 있을 수 없지. 오늘은 웬일로 무사히 넘어가나 했다.

딸그락—.

거실의 어둠 속에서 누군가가 움직이다가 뭔가에 부딪히는 소리가 났다. 머리털이 쭈뼛 서고, 심장이 빠르게 고동쳤다.

"어쩌지?"

"어쩌냐니, 도둑이면 당연히 잡아야지."

노빈손은 방 안을 두리번거리다 한쪽에 세워져 있는 지팡이를 들고 자리에서 일어났다.

"그러다가 몰자바가 보낸 자객이면 어떻게 하려고?"

"그럼 더더욱 잡아야지."

사실 겁이 나긴 노빈손도 마찬가지였지만, 마음을 다잡고 지팡이를 다시 한 번 힘주어 잡았다. 크다만파트라가 보고 있는데 대한민국 남자 체면이 있지.

겁이 나서 벌벌 떨 줄 알았는데 몽둥이를 들고 거실로 나서는 노빈손의 모습을 보고 크다만파트라는 적잖이 놀랐다. 노

충치는 신의 형벌
미라를 연구한 학자들에 의하면 이집트 왕국 초기에는 사람들에게 충치가 없었으나 후기로 들어서면서부터 충치가 발견되었다고 한다. 그러면서 치과 의사라는 직업도 생겼다고 한다. 고대 이집트인들은 충치를 신의 형벌이라고 믿었다고 한다. 예나 지금이나 충치의 고통은 끔찍했나 보다.

빈손에게 저렇게 용감한 면이 있었다니.

하나, 둘, 셋—!

노빈손이 벌컥 문을 열고 어둠 속에 있는 도둑을 향해 돌진했다. 우당탕탕—.

모든 일이 순식간에 일어났다. 크다만파트라가 내다보자, 노빈손과 도둑으로 보이는 검은 복면의 사내가 한데 요가 자세로 뒤엉켜 있었다.

억울한 누명

잠시 후 거실 중앙에 검은 복면을 쓴 사내가 무릎 꿇고 손을 들고 있었다.

"어쭈~ 손이 점점 내려가는데. 똑바로 안 들지? 높이 들어!"

노빈손이 크게 소리치자 사내는 두 팔을 귀에 바싹 붙였다.

"지금 뭐하는 거야, 노빈손?"

"벌주는 거야. 우리 나라에서는 잘못한 일이 있으면 가끔 이런 방법을 쓰기도 해."

"상당히 특이한 방법으로 벌을 주는구나. 그런데 저렇게 팔을 들고 있는 게 뭐 힘들겠어. 별로 안 어려워 보이는데…."

(참고로 이 자세는 이집트에서는 찬양의 자세이다.)

길이를 재는 단위 큐빗
이집트인들은 길이를 재기 위해 '큐빗'이라는 단위를 사용했다. 1큐빗은 대충 가운뎃손가락에서 팔꿈치까지의 길이를 말한다. 사람마다 팔 길이가 달라 분쟁이 끊이지 않자, 결국 이집트인들은 공식적인 큐빗의 길이를 정했다. 당시의 공식 큐빗은 지금의 미터로 환산하면 약 50cm 정도였다고 한다.

"무슨 소리야, 얼마나 힘들다고. 저러고 30분만 있으면 어깨가 떨어질 것 같아. 그리고 좀 지나면 손이 발발발 떨리는 게… 또 밤에 잘 때면 후유증으로 근육통에 시달리고, 진짜 끔찍하다구. 차라리 화장실 청소를 하고 말지. 아차…."

크다만파트라가 노빈손을 바라보며 의미심장하게 웃었다.

"노빈소온~ 꽤 자주 벌 서본 사람처럼 말하는군."

"(뜨끔) 무슨 소리야? 나야 원래 모든 사람의 아픔을 이해한다고. 어쨌든 지금 그게 중요한 게 아니잖아. 어서 우리가 도둑을 잡았다고 알려. 혹시 알아, 방 값이라도 깎아 줄지?"

똑똑똑—.

노빈손이 찾아가기도 전에 여관 주인이 방문을 두드렸다.

"이 여관 주인입니다. 오늘 도둑이 들어서 많은 손님들이 물건을 잃어버렸다던데, 이 방은 피해가 없으신지요?"

"잘 오셨어요, 아저씨. 우리가 그 도둑을 잡았다구요. 자, 어서 일어나서 죄를 자백해."

복면을 벗기자 도둑은 뜻밖에도 솜털이 보송보송한 어린 남자아이였다. 소년은 앞머리는 밀고 남은 머리카락을 땋아서 옆으로 내린 헤어 스타일을 하고 있었다.

"야, 네가 무슨 황비홍이야, 그런 머리를 하고 다니게?"

"황비홍이라니, 이집트 남자아이들은 원래 헤어 스타일이 다 저렇다고."

크다만파트라가 잔소리를 늘어놓는 사이에 어린 도둑은 재빨리 여관 주인의 뒤로 숨어들었다.

"억울해요, 억울해. 저 형이랑 누나가 갑자기 절 도둑으로 몰았어요. 아저씨, 전 법 없이도 살 사람이라구요."

꼬마 도둑은 눈물까지 흘리고 있었다. 노빈손은 천연덕스레 연기를 하고 있는 뻔뻔스런 도둑의 행동에 어이가 없었다.

"네가 법 없이도 살 사람이면, 난 밥 없이도 살 사람이다. 아저씨, 요 녀석 말 믿지 마세요."

그러자 소년은 더욱 불쌍한 표정을 지으며 말했다.

"훔친 물건들이 있는지 짐을 한번 뒤져 보시면 알 거예요. 전 정말 억울하다구요."

여관 주인은 진실을 가리기 위해 노빈손과 공주의 양해를 구하고 짐을 살펴보았다. 그런데 이게 웬일! 다른 방에서 훔친 물건들이 모조리 노빈손의 짐에서 발견되었다. 또한 공주의 값비싼 소지품들은 여관 주인의 오해를 사기에 충분했다.

"이 물건들을 어떻게 설명할 거지? 이 값비싼 물건들, 귀족이나 갖고 있을 법한 이 고급 물건들은 어디서 난 거냐구?"

"그건 여기 크다만파… 헙—."

크다만파트라 공주가 얼른 노빈손의 입을 막았다. 만약 여기서 신분을 노출했다가는 몰자바가 습격을 해올 수도 있는 일이다. 설명을 할 수도 안 할 수도 없는 상황이 되어 버리자 노빈손은 답답해서 가슴을 쳤다.

"저거 보세요. 도둑인 걸 들키고 나니까 당황해서 저러는

이집트인의 사냥법
이집트인들은 사냥을 할 때 창·밧줄·그물·작살 등을 사용했으며, 특히 새를 길들여 그 새로 야생 동물을 유인하여 사냥을 했다. 유인된 동물이 일단 시야에 잡히면 그들은 부메랑처럼 생긴 나무 막대기를 던져 동물을 잡았다. 하지만 이 부메랑처럼 생긴 막대기는 부메랑과 달리 되돌아오지는 않았다고 한다.

거라구요."

옆에 있던 소년이 다시 부추겼다.

"말도 안 돼, 우리가 어디 가서 도둑질이나 하고 다닐 사람들로 보여요?"

"응."

"어휴, 답답해. 국립과학수사대에 연락해서 지문 채취라도 해보자구요, 아니면 유전자 감식을 해보든지. 그러면 진실은 당장 밝혀질 거라구요."

여관 주인은 의심스런 눈초리로 노빈손을 쳐다보았다.

"그것보다 더 좋은 방법이 있지. 바로 정신이 번쩍 나도록 피라미드 공사장에서 일하는 거야."

끌려가던 노빈손이 돌아보니 도둑은 어느새 자취를 감췄다. 도둑 누명을 쓴 사실이 원통하고 분해서 노빈손은 이미 사라진 도둑을 향해 고래고래 소리를 질렀다.

"너, 이 다음에라도 절대로 마주치지 않는 게 좋을 거다. 다시 보게 되는 날엔 난 맘 상할 테고, 넌 몸 상하게 될 테니까."

악의 화신 몰자바

이집트 전 지역에 현상 수배령을 내린 보람도 없이 노빈손을 봤다는 제보는 들어오지 않았다.

벌거벗은 이집트 아기
이집트의 아기들은 대부분 옷을 입지 않고 벌거벗고 지냈다. 아기에겐 엄마 젖, 빵, 과자, 과일, 파피루스 줄기를 먹였다. 아기가 네 살이 되면 부모는 일을 시키기 시작하며, 대여섯 살 무렵 처음으로 사내아이는 허리옷을, 여자아이는 윗옷 달린 치마를 입힌다. 이 날은 아이에게 매우 중요한 날로, 더 이상 아기가 아님을 말해 주는 것이다.

게다가 크다만파트라 공주까지 사라져 버렸으니. 이집트를 통째로 손에 넣는 날만 고대하던 차에 이런 일이 생기다니…. 계획에 차질이라도 생기면 어쩌나 불안해서 몰자바는 안절부절못했다.

파라오의 혈통을 중요시하는 이집트에서 국민들의 방해를 받지 않고 권력을 얻기 위해선 크다만파트라 공주와 결혼하는 것이 가장 안전한 길이다. 그런데 만약 공주가 결혼식 때까지 돌아오지 않으면 골치 아픈 일들이 벌어질 게 뻔하기 때문이다.

"몰자바님, 부르셨습니까?"

돌파리오가 들어와 머리를 조아렸다.

"어서 오거라. 혹시 공주가 사라지기 전에 수상한 말을 한다거나, 수상한 짓을 하는 걸 본 적이 있느냐?"

공주라는 말에 화들짝 놀란 돌파리오는 재빨리 보고했다.

"공주님께서는 사실 별다른 움직임을 보이지 않으셨습니다. 얼마 전부터 식성이 늘어서 음식을 많이 드신다는 보고가 있었지만, 별일은 아닌 듯싶어서…. 결혼식을 앞두고 몸매 관리에 들어가신 줄 알았거든요. 하늘에서 떨어진 그 녀석을 숨겨 두고 계신 줄 누가 상상이나 했겠습니까?"

"아니, 그런 중요한 일을 아무도 나에게 보고하지 않았단 말이야!"

쾅! 빠각—!

이집트의 대표적인 서민 음식. 타와 쿠사리 타는 서민들이 즐겨 먹던 거무튀튀하고 거친 보리빵을 말한다. 쿠사리는 '짤막한 마카로니, 씹다 만 듯한 국수가락, 덜 익은 밥알, 한참 튀겨 말라붙은 양파, 콩 등'을 담아 토마토와 칠리 소스를 뿌려 먹는 일종의 '비빔밥'이다. 아직도 이집트에서는 쿠사리 파는 집 창문 사이로 이러한 재료들이 각기 그득하게 담긴 '큰 항아리'를 볼 수 있다.

흥분한 몰자바 대신이 탁자를 내리치자 탁자는 정확히 두 동강으로 갈라졌다.

"아이고, 뒷골이야. 그리고?"

"그리고? 또… 또… 공주님은 평소에 아침 7시에 일어나서 저녁 10시에 잠자리에 드시고, 음… 점심으로는 쿠사리와 우유 한 잔, 그리고 저녁으로는…."

"자네 지금 뭐하는 거야?"

"네? 공주님이 평소에 뭘 입으시는지, 뭘 드시는지, 뭘 좋아하시는지 철저히 조사 연구했습니다만….”

몰자바 대신은 갑자기 편두통이 밀려오는 듯했다.

"그거 연구해서 어디다 쓰려고? 내가 지금 공주랑 사귀자는 거야? 공주가 무슨 음모를 꾸미고 있는지, 혹은 하늘에서 떨어진 그 녀석이랑 어디로 도망쳤는지 그걸 물은 거지. 아이고, 혈압이야~!"

화가 나서 얼굴이 붉으락푸르락하던 몰자바는 갑자기 어떤 생각이 떠올랐는지 눈을 가늘게 뜨고 음흉한 미소를 지었다.

"돌파리오, 그 동안 자네가 저지른 일들을 기억하나?"

"네?"

"람세스 2세 미라를 만들 때 코에 후추 열매를 넣어 놓질 않나, 람세스 4세 눈에는 검은 돌 대신 양파를 넣어 놨었지. 이런 걸 사람들이 알게 되면 네 장의사 영업도 파리깨나 날리게 되겠지?"

콧날이 살아 있는 람세스 2세 미라
붕대로 감아 놓아 납작해진 다른 왕들의 미라와는 달리 람세스 2세의 미라는 뾰족한 매부리코가 잘 살아 있었다. 엑스레이를 찍어 본 결과 콧속에 비비탄처럼 동그란 후추 열매를 가득 넣어 붕대로 감아도 콧날이 살아 있도록 만든 것으로 드러났다.

"그, 그걸 어, 어떻게…."

"내가 시키는 대로만 하면 그 사실들은 없었던 걸로 해주지."

도대체 무슨 일을 벌이려고 전에 있었던 일까지 들추어 내는 것인지…. 소심한 돌파리오는 몰자바 대신의 눈치를 살피기에 바빴다.

"뭐든지 분부만 내려 주십쇼, 몰자바님."

"오늘 밤 안으로 광장에 있는 우물의 땅 밑을 파서 우물을 마르게 해라. 그리고 다른 우물에도 약을 타거나 썩은 고기를 떨어뜨려서 오염시키도록 해. 그러면 사람들은 그 물을 먹고 탈이 나겠지? 그런 다음 사람들에게 탈이 나거나 우물이 마르게 된 건, 크다만파트라 공주가 왕위를 이어갈 자격이 없기 때문이라고 소문을 퍼뜨리도록 해. 그러면 공주 편을 들고 있는 무식한 백성들도 내 편이 될 게 아니냐. 캬캬캬~."

"지난번에는 선왕이신 매너스를 없애고도 사고로 죽었다고 소문을 내시더니… 역시 악성 루머의 달인이십니다."

"쉬잇— 누가 들을라. 아무튼 돌파리오, 자네만 믿어."

아직도 많은 귀족들과 백성들은 크다만파트라 공주를 여왕감으로 생각하고 있었다. 선왕인 매너스를 제거하면 모든 일이 끝날 줄 알았는데, 백성들은 파라오의 혈통을 중요시 여기니 어린 공주가 방해가 된 것이다. 민심을 몰자바 자신 쪽으로 돌릴 수만 있다면, 공주가 결혼식을 망칠 속셈이더라도 백

미라 속에 감춰진 양파 두 개
당시 미라를 제작하던 사람들은 잘 닦은 두 개의 검은색 돌로 미라의 눈을 장식하곤 했는데, 람세스 4세의 미라를 풀어 보았더니 눈 자리에 작은 양파 두 개가 놓여 있었다고 한다. 이 방법은 미라의 눈에 생기를 주기 위해서 널리 퍼졌으며, 당시 의학책 교본에 실리기도 했다. 미라 눈에 양파를 넣다니, 생각만 해도 눈물 나지 않아?

성들을 동요시켜 파라오의 왕권을 거머쥘 수 있을 것이다.

"이집트는 이제 곧 내 손아귀에 들어올 것이야. 캬캬캬."

세계 4대 문명의 발상지 제대로 알기

물이 있는 곳에 생명이 있다

인류 최초의 문명이 일어난 곳의 공통점은? 딩동댕~ 네, 모두 큰 강 유역입니다. 기후가 따뜻하고 물이 풍부해서 농사를 짓거나 생활하기에 편했기 때문에 자연스럽게 많은 사람들이 큰 강 주변으로 모여들었죠. 이렇게 모여든 사람들이 쟁기, 돛단배 등의 다양한 도구를 만들게 되면서(사람들이 많이 모이면 나처럼 똑똑한 사람들이 꼭 있게 마련이니까 말이야~ 알면서) 생산량도 늘어나고, 더불어 교통이 발달해 도시가 생겨났습니다.

이 도시들이 제각기 독립하여 국가의 모습을 서서히 갖추면서 각종 기록을 위해 문자가 사용되기 시작하고, 마침내 우리가 '문명'이라고 부르는 단계에 들어서게 된 것입니다. 역시 물이 있는 곳엔 생명이 있다니까요.

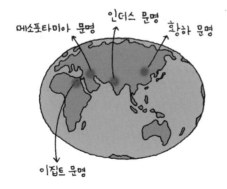

메소포타미아 문명   인더스 문명   황하 문명

이집트 문명

이집트 문명

상형문자

이집트는 '나일 강의 선물'이라 할 만큼 나일 강의 영향을 많이 받았다. 해마다 일어나는 나일 강의 범람은 상류의 비옥한 퇴적물을 운반하는 작용을 하며 주변의 모든 것들을 진흙 속에 묻어 버렸다. 그러나 이런 홍수는 규칙적으로 일어나서 미리 예측할 수 있었으며, 이집트인들은 이를 통해 농사의 시기를 조절할 수 있었다.

나일 강이 범람하는 시기를 알기 위해 천문학과 태양력이 만들어졌고, 범람한 후에 경지를 측정하기 위해 기하학 · 수학 · 건축학이 발달한 셈이니, 역시 이집트 문명에 나일 강이 한몫 톡톡히 해냈다. 또한 사막과 바다로 둘러싸인 폐쇄적인 지형 덕분에 외부의 침입 없이 오랫동안 고유 문화를 간직할 수 있었다.

메소포타미아 문명

설형문자

이집트와 거의 같은 무렵에 메소포타미아 평원에서도 문명이 일어났다. 메소포타미아란 본래 '두 강 사이에 있는 땅'이라는 뜻으로, 티그리스 강과 유프라테스 강 유역을 가리킨다. 메소포타미아 문명의 기초를 닦은 사람은 수메르인이었다.

그들은 도시 한가운데에 수호신을 모시는 신전을 세우는 한편, 활발한 상업 활동을 벌이면서 문자도 만들어 썼다. 종이 대신 점토판에다 뾰족한 갈대나 쇠붙이로 글자를 찍어 썼기 때문에 글자 모양이 쐐기처럼 생겨서 이것을 '설형문자'라고 불렀다. 설형문자는 수메르인부터 페르시아인까지 약

3,000년 동안 서남 아시아의 여러 민족들 사이에 널리 사용되었다.

인더스 문명

기원전 3000년대 중엽부터 약 1,000년 동안 인더스 강 유역에서 청동기를 바탕으로 번성한 고대 문명이며, 메소포타미아의 영향을 많이 받았다. 지금의 인더스 강은 이집트와 같은 사막의 모습을 하고 있지만, 당시만 해도 푸르고 울창한 숲으로 덮여 있었다.

인더스 문명은 인더스 강 계곡의 비옥한 땅을 기술적으로 이용하며 성장했다. 놀라운 건축 기술과 도시 계획, 무게와 측정 단위의 통일, 그리고 특징적인 도자기류는 인더스 문명에서 가장 주목할 만한 유산이다.

인장문자

황하 문명

동아시아의 황하 유역에서는 기원전 3000년경에 비옥한 평야를 중심으로 농경 문화가 발달하여 중국 문화의 원류가 되었다. 황하 문명은 인더스 문명에 비하면 그다지 명확하게 알려져 있지 않다. 넓은 늪지대와 수목이 번성한 습지대를 꿰뚫어 배수해야 했고, 불규칙하게 범람하는 강과 한랭한 기후로 인해 많은 곤란을 겪었으며, 황토와 홍수 등에 의해 변화와 발전을 거듭해 오면서 중국 문화를 일구어냈다.

갑골문자

3부

피라미드 공사장에 끌려오다

죄수를 운반해 오는 수레에서 내려서자마자 노빈손은 눈앞에 벌어진 광경에 입이 쩌억 벌어졌다.

이글거리는 사막 한가운데에서는 거대한 피라미드 공사가 한창 진행 중이었다. 주변이 온통 모래뿐인 이곳에 어디에서 가져왔는지 거대한 화강암 무더기가 여기저기 흩어져 있고, 그 화강암 주변으로 피라미드를 쌓기 위해 수백 아니 수천 명쯤 되는 사람들이 모여 각기 다른 일을 하고 있었다.

"이 많은 사람들이 다 죄를 짓고 끌려와서 일하는 사람들이란 말이야?"

"무슨 말씀을! 여기서 일하는 사람들은 대부분 농민들이야. 나일 강이 범람할 때면 농경지가 물에 잠겨 농사를 지을 수가 없거든. 농한기를 이용해서 이렇게 피라미드 공사가 이루어지는 거라구. 자기가 범죄자니까 다른 사람들도 범죄자로 보이나 보지?"

약이 바짝 오른 노빈손이 크다만파트라에게 한마디 쏘아주려는 순간 어디선가 염소 같은 목소리가 들려왔다.

"이번에 새로 온 노예들인가? 난 이 피라미드 공사의 책임자인 아부샤르다. 괜히 빈둥거리면서 밥이나 축낼 생각했다가는 큰코 다칠 줄 알아. 내가 감독관으로 있는 한 적어도 두 달은 앞당겨서 공사를 끝내야 한다. 그래야 몰자바 대신께서

삼각형 모양의 과자, 피라미드
피라미드라는 말은 그리스어로 '삼각형 모양의 과자'를 뜻하는 '피라미스'에서 유래했다고 전해지며, 아랍어로는 '아흐람'이라고 부른다. 이집트 최대의 일간지이자 중동 최대의 일간지인 '아흐람' 지가 피라미드를 의미한다는 것을 아는 사람은 그리 많지 않을걸.

기뻐하실 테니까. 다들 알겠지?"

아부샤르는 노예들을 쭉 둘러보다가 노빈손에게서 시선을 딱 멈췄다.

"특히 너, 머리 크고 허여멀건 놈, 나보다 머리숱 많은 게 거슬려. 앞으로 내가 집중적으로 관리해 주겠어. 알겠나?"

별 이유 같지 않은 이유로 아부샤르의 눈에 띈 덕분에 노빈손의 앞날은 아마도 순탄하지 못할 것 같았다. 하긴 원래 노빈손의 인생이 그리 순탄한 편은 아니었지만.

"아빠."

"아니, 두르리나! 여긴 웬일이냐. 아빠가 먼지 많다고 나오지 말라고 했잖아. 너처럼 연약한 애는 이런 험한 곳이랑 안 어울리잖니."

아부샤르는 딸인 두르리나를 감싸 안았다. 두건으로 꼭꼭 싸매고 있어 얼굴을 볼 수는 없었지만, 목소리만은 아버지를 닮지 않았는지 맑고 예뻤다.

'피도 눈물도 없어 보이는 아부샤르에게도 가족이란 게 있었구나. 그런데 무슨 천을 두루마리 화장지 말 듯이 저렇게 친친 동여매고 있담? 땀띠도 안 나나.'

아부샤르의 팔뚝에 매달려 웃고 있는 두르리나를 본 순간 노빈손은 가슴이 덜컹 내려앉았다. 저 낯익은 모습은… 분명히 말숙이! 그 순간 노빈손과 두르리나의 눈이 딱 마주쳤다.

"아빠, 저 노예는 누구예요?"

비옥한 검은 땅
나일 강은 범람하면서 물만 선사한 게 아니다. 비옥한 검은색 진흙을 선사했기 때문에 땅이 비옥해진 것이다. 이 때문에 이집트인은 자기 나라를 비옥하다는 뜻의 '케메(검은 땅)'라고 불렀다. 비를 본 적이 거의 없는 이집트 사람들은 이를 하늘이 주는 선물이라며 감사히 여겼다.

하트가 뿜어져 나오는 눈으로 노빈손을 바라보는 두르리나를 보면 이번에도 역시 불길한 예감이 맞는 것 같았다.

"아빠, 시중 들어줄 노예가 한 명 필요한데 저 사람을 데려갈게요."

"두르리나, 아빠는 저 허여멀건하게 생긴 녀석이 맘에 안 들거든. 딴 녀석을 골라 보렴."

"그냥 저 사람으로 할래요. 햇볕에 오래 서 있었더니 피부가 타는 것 같아, 아 어지러워~."

"그, 그래? 어이구, 우리 귀여운 두르리나. 그럼 어서 들어가렴. 넌 워낙 약해서 내가 늘 걱정이다."

봄날의 버들강아지처럼 부드러운 눈빛으로 딸을 바라보던 아부샤르가 갑자기 쫙 찢어진 가자미눈으로 변신하며 노빈손을 돌아보았다.

"야, 거기 너! 두르리나를 부축해서 들어가고 당분간 시중 드는 일을 맡도록 해라."

'말숙이만으로도 버거운데, 말숙이의 이집트 버전이라니…. 신이시여, 세상에 말숙이는 한 명으로 충분하다구요.'

노빈손은 두르리나가 겁나긴 했지만 피라미드 공사장에서 막일을 하는 것보다는 두르리나의 시중 드는 일이 훨씬 나을 듯싶었다.

"시중 드는 건 좋은데요, 제 하나밖에 없는 여동생과 같이 있고 싶어요. 어려서부터 일찍 부모님을 여의고 우리 남매

딴청 피우지 마!
테베에 있는 한 무덤 벽에는 몽둥이를 든 감독관의 그림이 있다. 또 브루크시가 해독한 파피루스 가운데 감독관이 노예에게 하는 다음과 같은 말이 상형문자로 적혀 있었다. "딴청 피우지 마, 나는 몽둥이를 들고 있다."

서로에게 의지하며 살아온 지 어언 10여 년. 목마른 사슴이 우물을 찾듯이 이곳까지 왔으니 같이 있게 해주세요. 네? 아아아앙~."

"집어치워라. 비위 상하게 되지도 않는 애교를 떨다니. 무슨 남매가 하나도 안 닮았구나. 동생은 상당한 미인이군. 물론 우리 두르리나보단 못하지만 말이야."

고슴도치도 자기 자식은 예뻐한다더니… 아부샤르 고슴도치 부녀 같으니라고.

"난 얼굴 안 생긴 애들을 보면 동정심이 생긴다니까. 아빠, 그럼 동생도 내가 같이 데리고 있을게요."

"우리 두르리나는 얼굴은 물론이고 마음까지 예뻐요."

아부샤르는 아부가 생활 습관으로 몸에 뱄는지 자기 딸에게조차 아부를 했다.

덜커덩―.

죄수들을 가득 실은 또 다른 수레가 도착해 땀과 먼지로 뒤범벅이 된 사람들을 내려놓고 갔다. 그 중에는 아직 앳된 얼굴의 소년도 있었다.

"감독관님, 이 녀석이 간도 크게 몰자바 대신의 집에서 보석을 훔치다 딱 걸린 녀석입니다요."

어, 저 눈에 익은 얼굴은?

"오… 이 녀석! 우리를 도둑으로 몬 그 녀석이지. 내가 꿈에서도 네 녀석 얼굴을 잊은 적이 없다. 야, 너 당장 나와. 나오라니까. 말리지 말아요."

흥분한 노빈손이 소년에게 덤벼드는 모습과는 다르게 소년은 오히려 태연해 보였다.

"진정해요, 진정. 이렇게 만나다니 세상 참 좁네. 뭐 인생이 다 그런 거 아니겠어요? 아무튼 반가워요. 내 이름은 세빌리오. 이것도 인연인데 앞으로 잘 지내 보자구요, 형씨."

"뭐? 형씨? 야, 호적에 잉크도 안 마른 녀석이. 내가 왜 형씨냐? 난 노씨다, 노씨. 노빈손."

"그래요? 그럼 노 형이라고 부르면 되겠네."

붉으락푸르락 무지갯빛으로 변해 가는 노빈손의 얼굴이 재미있었는지 세빌리오는 수다를 멈추지 않았다.

초기 피라미드 공사의 마지막 공정
초기의 피라미드는 지금의 모습과는 다르게 순백의 석회석으로 덮여 있었다. 피라미드 노동자들은 이 석회석들을 안경알처럼 반질반질하게 다듬고 표면을 매끄럽게 하기 위해 홈집이 난 부분은 모르타르와 모래를 섞어 메우고 광을 냈다. 그런 후 석회석 표면에 흰 시멘트를 얇게 발라 접착시키면 피라미드 공사 끝!

"오늘은 재수가 없어서 잡혔지만 난 한 번도 잡힌 적이 없는 사람이라고. 노 형, 혹시 이집트의 일지매라고 들어 봤어? 그게 바로 나야."

어쭈, 나이도 어린 녀석이 은근슬쩍 반말까지 하다니. 괘씸한 녀석!

"일지매 좋아하네. 네가 무슨 일지매냐, 이지매겠지. 내가 너 때문에 이게 무슨 꼴이냐고, 난데없이 피라미드 공사장에 끌려오고…."

"아, 노 형. 왜 이렇게 과거에 집착하고 그래. 얼굴은 남 의식 안 하게 대범하게 생겼는데, 속은 왜 그리 소심해. 결국 나도 잡혔으니까 서로 없었던 일로 하자고."

"너 같으면 없었던 일이 되겠냐, 이 원수 같은 녀석아?"

"왜 안 돼? 옛말에도 있잖아, 원수를 사랑하라."

"넌 원수가 아니라 왠수다, 왠수!"

대탈출 계획

피라미드 공사장에는 매일 30~40도를 넘나드는 살인적인 더위와 비 한 방울 뿌리지 않는 건조한 바람이 불어와 지상의 모든 생명체들을 말려 버릴 것 같았다. 숨조차 쉬기 힘든 무덥고 건조한 날씨 속에서도 공사가 계속된다는 그 자체가

신으로 승격된 건축가
초기의 피라미드는 계단식으로 쌓아 위가 편평한 모양이었으며, 곡선형 피라미드를 거쳐 지금과 같은 모양으로 변화되었다. 피라미드 모양을 처음 생각해 낸 이집트의 천재 건축가 임호테프는 이후에 신으로까지 승격되어 사람들의 존경을 받았다.

기적일 정도였다. 공사장 인부들은 햇볕으로부터 피부를 보호하기 위해 하루하루 지급되는 진흙을 몸에 바르고 일터로 나섰지만, 점심나절이 지나면 진흙은 석회 가루처럼 허옇게 날렸다.

하지만 피라미드 공사장에서 일하는 것보다 두르리나의 시중 드는 일이 더 쉬울 거라는 노빈손의 생각은 정확히 빗나갔다.

"오늘 저녁 무도회에 참석해야 하니까 머리에 얹을 예쁜 밀랍 인형을 만들도록 해. 그리고 저 구석에 있는 구슬들을 하나하나 꿰어서 옷을 만들어 놓는 것도 잊지 말고. 참, 오늘 점심은 빵을 먹을 테니까 40가지 종류로 준비해 둬."

"구슬 꿰는 데만도 며칠은 걸릴 것 같은데… 그 일을 하루에 다 하라고요?"

"당연하지. 내가 얘기했나? 전에 여기서 일하던 노예들이 단체로 병원에 입원했다고. 일을 제대로 못 하기에 손 좀 봐줬지. 병원에 입원하고 싶으면 안 해도 돼. 아~ 너무 오래 서 있었더니 피곤하다. 난 왜 이렇게 허약할까. 그럼 일들 하고 있어."

몇 시간째 쪼그리고 앉아서 구슬을 꿰고 있지만, 자루에 가득한 구슬은 줄어들 줄 몰랐다.

"야, 인간적으로 너무하지 않아. 이집트까지 와서 구슬 꿰는 일이나 해야겠냐고. 한참을 들여다봤더니 눈알이 구슬인지 구슬이 눈알인지도 모르겠다."

어, 그리고 보니 크다만파트라가 웬일이야, 저 성질에 잠자코 구슬이나 꿰고 앉아 있으니?

"어머, 스트레스는 피부에 적이야. 미용의 시작은 마음가짐부터거든."

으이그, 내가 못 살아. 앓느니 죽지―.

"그런데 난데없이 밀랍 인형은 왜 만들라는 거야? 미술 숙제인가?"

"이집트에서는 파티가 열리면 향이 나는 밀랍을 머리에 쓰고 불을 붙여. 파티가 끝날 때쯤 되면 밀랍은 촛농처럼 흘러내려 온몸을 적셔서 향기롭게 하거든."

밀랍이 흘러내리는 장식을 머리에 달고 파티를 즐기는 장면을 상상하던 노빈손은 그만 바늘에 손가락을 찔렸다.

"아얏! 피나잖아? 이게 지금 뭐하는 거람. 언제까지 이렇게 있을 수는 없어. 결혼식까지 시간도 없는데 헤카를 찾으려면 한시가 급하다고."

"그렇지만 감시병들이 많은데 탈출할 수 있을까?"

"해봐야지. 노빈손 가는 길에 실수는 있어도 좌절은 없으니까."

크다만파트라는 여전히 미심쩍은 눈으로 노빈손을 바라보았다.

"그 말이 더 불안하게 들리는 거 알지?"

머리 위의 밀랍
귀족들의 파티에서 신분이 높은 여자들은 노예 소녀의 시중을 받으며 남자들과 떨어져 큰 연회실의 맞은편 자리에 앉아 있었다. 이들은 대부분 우아하게 땋아 올린 머리 위에 밀랍을 얹어 장식을 했다. 파티가 진행됨에 따라 녹기 시작한 밀랍은 끈적끈적하고 달콤한 냄새를 풍기면서 머리와 어깨를 적셔 갔다고 한다.

"주변을 돌면서 어떻게 탈출할지 살펴볼 테니까 크다만파트라 너는 두르리나를 붙잡아 둬, 알았지?"

"탈출? 노 형, 지금 탈출이라고 했어?"

어떻게 알았는지 쥐방울만한 세빌리오가 쪼르르 달려와 둘 사이에 고개를 불쑥 내밀었다.

"너, 넌… 여, 여긴 어떻게 들어왔어?"

"나이가 어리다고 공사장 일은 안 된다고 해서 주방 일을 하게 됐지. 그래서 뭐 쓸 만한 물건이 없나 미리 답사하던 중이었어. 그런데 탈출을 계획하고 있다니….'"

"뭐라고? 우린 그런 말 한 적 없어."

수다스런 세빌리오 녀석의 귀에 들어갔다간 공사장에서 일하는 사람 모두가 알게 될 것이다. 세빌리오에게 아직 유감이 많이 남아 있던 노빈손은 시치미를 뚝 뗐다.

"노 형, 탈출할 거면 나도 끼워 주라, 응?"

"그러다 또 누명이나 씌우려고? 내가 한 번 속지 두 번 속냐?"

"그래? 할 수 없지 뭐. 오랜만에 아부샤르 감독관 얼굴이나 보러 가야겠다."

아부샤르에게 금방이라도 이를 것처럼 세빌리오가 몸을 일으켰다.

"치사한 녀석, 알았어. 알았다구."

이렇게 해서 할 수 없이 노빈손의 탈출 계획에 예상치 못

어린이는 우리의 희망
가족이 많다는 것은 이집트 사회에서 이상적인 일이다. 어린이는 늘 환영받는 존재였다. 어린이의 출생은 부모에게 가족의 전통이 유지되리라는 희망, 장례 예배가 계속되리라는 약속, 그리고 아이가 자라며 집에 일손이 생기는 일이었다. 어떤 가족은 자녀를 15명이나 두었다. 그러나 높은 사망률로 많은 아이들이 죽고 가장 튼튼한 아이들만 살아 남았다.

한 불청객이 동참하게 되었다.

반군과의 만남

멀리 피라미드 너머로 아침 햇살이 밝아오는 것이 보였다. 어젯밤 크다만파트라에게 큰소리를 치긴 했지만, 아침이 되자 어떻게 탈출 계획을 짜야 할지 노빈손은 머리가 복잡했다.

"네가 노빈손이냐?"

"네. 그런데 누, 누구세요?"

"난 파라파라고 한다. 공사장에서 채찍을 휘두르고 있지. 이곳에선 채찍 소리를 구령으로 일을 하기 때문에 아주 중요한 일을 하고 있는 셈이지. 덕분에 지긋지긋한 관절염에 시달리지만 말이야. 아이고, 팔이야. 이거 완전 직업병이라니까."

파라파는 늘 채찍을 휘두르는 오른쪽 팔이 근육통에 시달리는 걸 빼면 그야말로 용맹한 이집트의 용사 같았다. 게다가 이집트 남자들 특유의 단발머리 가발을 쓰고도 저 정도로 멋있을 수 있다니, 상당한 미남이다.

파라파는 노빈손의 귓가에 대고 은밀하게 속삭였다.

"너 오늘밤 탈출할 거라면서?"

"그걸 어떻게 아셨어요?"

"세빌리오가 아무한테도 얘기하지 말라면서 다 얘기하고

누가 피라미드를 만들었을까?

고고학자들이 찾아낸 피라미드를 만든 집단은 '쿠푸 왕의 친구들', '호부의 친구들', '술 마시는 사람' 등이 있다. 그리고 이들의 무덤은 피라미드 주변에서 발견되었다. 이것은 피라미드를 만든 사람들은 노예가 아니라 신분이 자유로운 일꾼들이었다는 것을 말해 준다. 피라미드 건설은 단순히 억압에 의한 노동을 뛰어넘어 파라오에 대한 절대적인 신앙을 바탕으로 한 국가적인 차원의 공사였다.

다니던데. 아마 아부샤르 감독관만 빼고 피라미드에서 일하는 사람들 모두 다 알고 있을걸."

세빌리오 녀석, 기어이 동네방네 소문을 다 내고 다녔구나. 도대체 일생에 도움이 안 되는 녀석이라니까.

"몰자바가 정권을 잡은 후 귀족들의 횡포는 날이 갈수록 더 심해지고 있어. 이대로 둬서는 안 돼. 탈출할 거면 같이 힘을 모으는 게 어떻겠니?"

탈출 방법이 막막하던 차에 파라파의 제의는 물에 빠진 사람에게 건네는 지푸라기였다. 그 지푸라기가 썩었든 어쨌든 간에 망설일 이유가 없었다.

"좋아요. 힘을 합하자구요."

"잘 됐구나. 처음부터 너는 우리와 뜻을 같이 할 사람이라는 걸 알아봤다. 그럼 자세한 얘기는 움막에 들어가서 하자꾸나."

파라파와 함께 들어간 움막 안에는 사람들이 가득 차 있었다. 나이 어린 사람부터 나이 많은 사람까지, 장인에서 노예까지, 다양한 나이대의 다양한 직종의 사람들이었다. 사람들을 자세히 살펴보니 남자들도 손톱에 화려한 색으로 칠한 사람들이 많았다. 노빈손은 목소리를 낮춰 물었다.

"세상에, 저 손톱 좀 보세요. 손톱이 무슨 도화지인가?"

"여기선 남자 여자 모두 손톱에 물을 들여 매니큐어를 칠한단다. 색이 화려할수록 귀족 계급이야. 특히 전쟁에 나가

손톱을 보면 알 수 있는 것들
최초의 손톱 미용은 기원전 3000년 이집트와 중국에서부터 시작되었다고 역사에 기록되어 있다. 지위가 높은 사람들은 남녀 모두 관목에서 나오는 헤나라고 하는 붉은 오렌지색으로 손톱을 염색했다. 그래서 한때 손톱을 보면 신분을 알 수 있기도 했다. 의학적으로는 손톱을 보면 그 사람의 건강 상태를 어느 정도 알 수 있다.

기 전에는 손톱과 머리를 손질해서 한 가지 색으로 물들이기도 하지. 이집트 사람들은 패션에 관심이 많거든. 우린 몰자바의 악독한 정책에 반대하는 사람들이 모여 만든 반군들이야. 언제든지 몰자바의 병사들과 싸울 준비가 되어 있지."

그러고 보니 파라파를 비롯해서 모두들 닭 볏같이 일으킨 머리 스타일하며 손톱에 색칠한 것까지… 겉으로 보면 전쟁에 나가는 사람인지 패션쇼에 나가는 사람인지 구별이 안 갈 정도였다.

파라파는 노빈손에게 오른손을 내밀었다.

"정식으로 내 소개를 하마. 내 이름은 파라파, 반군 대장이다. 우리는 크다만파트라 공주님이 꼭 왕위에 오르도록 도울 거다."

아, 피라미드 공사장에도 크다만파트라 공주와 이집트를 걱정하는 사람들이 있었구나. 노빈손은 파라파의 믿음직스런 말에 기뻐서 그가 내민 손을 힘껏 잡았다.

"너무 꽉 잡지는 마. 팔 아파."

열두 명의 아들

"탈출하고 나면 어디로 갈 예정이냐?"

"가긴 가야 하는데…."

간 큰 남자 센무트
이집트 최초의 여왕 하트셉수트를 도운 유능한 인물이 있었는데 그가 바로 센무트이다. 그는 무려 80개의 관직을 겸하고 있었으며, 여왕이 가장 신뢰하는 보좌관이었다. 센무트는 또한 여왕의 장사와 제사를 지낼 장제전의 건설 책임자였다. 그런데 여왕의 영원한 생명의 덕을 보려고 여왕의 장제전에 자신의 초상을 몰래 새기도록 지시했다. 나중에 이 일이 발각되어 여왕은 그의 무덤을 부수고 관을 박살냈으며, 몰래 새긴 그의 초상을 찾아내어 깨끗이 깎아 버리고 말았다.

노빈손은 예언의 파피루스에 나온 장소를 찾아가야 하지만, 아직 어디로 가야 할지 방향조차 잡지 못하고 있어서 말끝을 흐렸다. 이런 노빈손의 반응에 파라파는 다 안다는 듯 노빈손의 어깨에 손을 척 걸쳤다.

"너 가출했냐? 그렇다면 더 늦기 전에 가족의 품으로 돌아가라. 늦었다고 생각하는 때가 가장 빠른 거야."

"그게 아니구요. 가야 할 곳은 있는데 어딘지를 몰라서요."

"어디를 찾아가기에?"

노빈손은 주머니 안 깊숙이 들어 있던 파피루스를 조심스럽게 꺼내 파라파에게 보여 주었다.

"위대한 어머니 이시스가 12명의 아들을 낳았다.
12명의 아들이 사는 신성한 골짜기에 달이 뜨면
세 번째 아들의 통곡 소리가 들린다…."

"스무고개도 아니고 이게 뭐야? 게다가 나머지 종이는 어디서 뜯어먹었냐?"

"원래부터 찢어져 있었어요. 나머지 반쪽은 어딘가에 있겠죠. 지금 가지고 있는 힌트는 이것뿐이에요."

파라파는 심각한 표정으로 파피루스를 들여다보았다. 노빈손의 표정도 덩달아 심각해졌다. 크다만파트라의 결혼식은 다가오는데 아무 단서도 잡지 못하고, 게다가 피라미드

페이퍼의 어원 파피루스

파피루스는 페니키아와 지중해 해안을 따라 유럽으로 전해졌으며, 이집트의 중요한 수출품이었다. 파피루스가 그리스에 수출될 때 페니키아의 비브로스 항을 거쳤는데, 이 때문에 그리스에서는 파피루스를 비브로스라고 불렀다. 하지만 파피루스는 값이 비싸고 쉽게 찢어지는 단점이 있어서, 중국에서 종이가 전해지자 역사의 뒤안길로 사라졌다.

공사장에 노예의 신분으로 갇히기까지 하다니 자신이 너무

한심스러웠다.

　"이게 뭐야, 이게 뭔데?"

　으, 저 얄미운 목소리! 노빈손은 목소리만 들어도 온몸의

털이 바르르 떨렸다. 귀신은 전부 파업했나, 저 녀석 안 잡아

가고. 어느 틈에 왔는지 세빌리오가 고개를 디밀었다.

　"와~ 이거 되게 오래된 파피루스잖아. 노 형, 내다 팔면

꽤나 값이 나갈 것 같은데… 자세히 좀 보자."

　노빈손은 촐랑대는 세빌리오가 불안해 파피루스를 휙 낚

아챘다.

　"야, 이 배신자. 여기서 일하는 사람들이 우리의 탈출 계획에 대해 다 알고 있던데… 이 일에 대해 어떻게 생각하냐?"

"아무한테도 얘기하지 말라고 부탁했는데. 거 사람들 정말 입 싸네."

"으이그~ 말이나 못 하면 밉지나 않지."

파라파 대장은 노빈손과 세빌리오를 말리며 말했다.

"그만들 싸우고 조용히 좀 해봐. 이시스의 12명의 아들이라?… 이시스는 오리시스의 부인이거든."

"그럼, 이시스란 이름을 가진 여자가 낳은 12명의 아들이 있는 집들을 찾아봐야겠네요. 그 집은 가족 계획도 안 하나, 무슨 애를 이렇게 많이 낳았대?"

"처음에 파피루스를 볼 땐 생각 못 했는데, 이시스라면 여성과 아이들을 돌보는 여신이잖아, 위대한 이집트의 어머니."

크다만파트라가 소리도 없이 등장해 거들었다.

"쟨 누구냐?"

파라파가 갑작스레 나타난 크다만파트라를 보고 눈이 동그래져서 물었다. 아니, 크다만파트라 공주를 위해 목숨을 바치겠다는 반군 지도자가 정작 공주가 나타나도 모르다니. 노빈손은 파라파의 능력을 믿어도 될지 의심스러웠다.

"얜… 제 친구 크다만콩트라예요. 두르리나의 시녀죠."

노빈손은 크다만파트라 공주의 신분이 탄로날 것을 염려해 대충 둘러댔다.

"그렇구나. 대단한 미모인걸. 너 혹시… 언니 없냐? 언니

이집트의 신들
이집트에는 원래 2천의 신들이 있었는데 차차 정리되어 3백쯤으로 줄었으나, 서로 성격이 뒤섞여 무엇을 다스리고 있었는지 누가 누구인지 분간할 수 없게 된 것이 많다. 이집트 신들은 대개 동물의 모습을 하고 있으며, 42개의 도시국가(노모스)별로 자신들만의 신을 섬기고 신전과 무덤을 만들었다. 비록 신들의 모습이 일정하지 않지만, 가장 중요한 신은 역시 태양신이었다.

있으면 소개 좀 시켜 주라."

"전 외동딸이에요."

"저도 외아들이지만… 사촌누나는 좀 있는데."

"그래? 너 닮았나?"

"뭐 사촌이니까 전혀 안 닮았다고 할 순 없겠죠?"

"그래? 그럼 없었던 얘기로 하자. 흠흠, 지금 그게 중요한
게 아니지. 다시 파피루스로 돌아가서, 에… 12명의 아들이
라… 뭔가 냄새가 나…."

파라파의 말에 노빈손의 얼굴이 발개졌다.

"예민하시긴. 소리 안 나는 방귀였는데 눈치챘어요?"

불발로 그친 탈출

"저 혹시… 이시스가 위대하신 여신이자 이집트의 어머니라
면, 그 12명의 아들이라는 건 파라오를 말하는 게 아닐까
요?"

노빈손이 주저하며 이야기하자 크다만파트라가 감 잡았다
는 듯이 갑자기 손뼉을 쳤다.

"그래, 맞아! 파라오는 살아 있는 신, 위대하신 이시스 여
신의 분신이잖아. 그러니 이시스 여신의 아들이 살고 있는
곳이라면 바로 파라오들이 묻힌 무덤을 말하는 거지."

미녀가 오다. 네페르티
티
이집트에서 미모의 여
성으로 이름을 날린 사
람은 사실 클레오파트
라가 아닌 이집트 제18
왕조 아크나톤 왕의 왕
비이다. '미녀가 오다'
라는 뜻의 이름대로
1914년에 발견된 석회
석 채색 흉상 및 미완성
두상 등은 그녀의 미모
를 잘 나타내고 있다.
대단히 현대적인 아름
다움을 지닌 이 고대 미
인은 오늘날에도 여전
히 박물관 최고의 인기
를 누리고 있다.

크다만파트라의 말을 듣고 있던 세빌리오가 말했다.

"와, 누나는 얼굴도 예쁘고 똑똑하기까지 하네. 누나, 딱 내 이상형이에요."

"내가 얼굴이 예쁜 건 알고 있었지만 이렇게 어린아이들에게도 인기가 있을 줄은 몰랐네. 너, 너랑 나랑 나이 차이가 얼마나 나는 줄 아니?"

"나이 차이는 많이 나도, 키 차이는 별로 안 나잖아요. 나 커서 누나랑 결혼할래요."

파라파는 세빌리오의 한쪽 귀를 잡아 뒤로 끌었다.

"자, 잡담은 그만하고… 많은 사람들이 우리의 계획을 알고 있으니까 더 이상 미룰 수 없어. 오늘밤 탈출하도록 하자."

"알았어요. 드디어 이 지긋지긋한 피라미드 공사장에서 탈출이다. 신난다~."

세빌리오는 경비병을 구슬러 피라미드 공사장을 빠져 나가는 지도를 구해 오겠다고 큰소리를 치며 나갔다.

하지만 노빈손은 호들갑스런 세빌리오가 불안하기만 했다. 지금까지 살아오면서 자신보다 철없어 보이는 사람을 만나 이렇게 불안해 보기는 처음인 듯싶었다. 잠시 후 돌아온 세빌리오는 신이 나서 자신의 활약상을 떠벌렸다.

"걱정 마, 노 형. 내가 경비병들한테 맥주를 좌악 돌렸다니까. 지금쯤이면 다들 술에 곯아떨어졌을 테니까."

피라미드를 만든 총인원은?
헤로도토스는 쿠푸 왕의 피라미드 건설 사업은 돌을 캐내어 뗏목으로 운반하고 공사를 하기 위한 도로를 만들고, 피라미드의 지하 공사를 하는 데만 적어도 10만 명의 노예가 석 달씩 교대로 해서 10년이 걸렸고 돌을 높게 쌓아 올리는 데도 20년 이상 걸렸을 거라고 생각했다. 그러나 현대 학자들은 의외로 적은 수의 사람으로도 충분히 가능한 일이라고 얘기한다.

말이 채 끝나기가 무섭게 솥뚜껑 같은 손이 세빌리오의 귀를 잡아채듯 들어올렸다.

"취하는 거 좋아하시네. 요 쥐방울 같은 녀석, 속일 게 없어서 보리차를 맥주라고 속이냐?"

맥주를 먹고 기분 좋게 취해 있을 거라는 경비병은 지도 대신 부리부리한 눈을 치켜뜨고 노빈손 일행을 쏘아보고 있었다.

"야, 어떻게 된 거야?"

"그, 그러게… 말이에요. 맥주인 줄 알고 훔쳤는데 그게 보리차였나? 노 형, 이제 어쩌지?"

"어휴~ 너 정말 이집트 최고의 도둑 맞아? 널 믿은 내가 정신 나갔지. 부처님, 공자님, 예수님, 천지신명이시여, 왜 저에게 이런 시련을 주시나이까."

노빈손은 꼬여만 가는 상황에 대책이 서지 않았다. 이 때 경비병 뒤로 아부샤르가 모습을 드러냈다.

"노빈손, 처음 볼 때부터 난 네가 거슬렸어. 다른 사람들을 선동해서 탈출 계획을 세우다니, 아주 골고루 하는군. 몰자바 대신이 이 소식을 알아봐. 그 동안 아부한 보람도 없이 감독관 자리도 뺏기고 말 거 아냐. 그렇게는 안 되지."

아부샤르는 거치적거리던 노빈손을 확실히 없애 버릴 생각이었다. 이 때 어디선가 누군가의 목소리가 들려 아부샤르의 생각을 방해했다.

의사의 처방으로 먹는 약, 맥주

맥주가 인류 역사에 나타난 것은 인류가 정착 생활을 하면서부터이다. 로제타석에 기록된 문자를 해독해 보면 기원전 3500년경에 바빌로니아인들이 보리술을 만들었다고 전해진다. 고대 이집트인들은 맥주를 약으로도 사용했는데, 의사가 처방한 700종의 약 가운데 100종이 맥주였다.

"아빠."

"아니, 두르리나. 몸도 약한 애가 여긴 왜 또 나왔니?"

"탈출하려고 한 노예들이 있다고 해서 구경나왔죠. 귀여운 악어 먹이가 되는 좋은 구경거리를 놓칠 순 없잖아요. 어라, 쟤들은 내가 데리고 있던 노예들이잖아?"

"그래, 이제 쟤들이 얼마나 못된 애들인 줄 알았지? 너처럼 착한 애는 질 나쁜 애들이랑 어울리면 안 돼요."

"노빈손, 개인적으로 참 정이 가는 얼굴인데, 아깝다. 아빠, 그러지 말고 이번 기회에 몰자바 대신한테 노예들을 선물하는 게 어때요?"

"그거 좋은 생각이구나. 내일이면 몰자바 대신이 이곳에 시찰 나오는데 그 때 선물로 드리면 좋아하시겠지? 아이고, 눈에 넣어도 안 아픈 내 딸, 생각하는 것도 어쩌면 이렇게 기특한지. 몰자바 대신이 이 특이하게 생긴 선물들을 얼마나 좋아할까."

이럴 수가! 몰자바와 마주치면 이제까지의 노력은 모두 물거품이 되고 말 텐데. 머릿속이 하얗게 변해 갔다.

"그 대신 저 노빈손이라는 노예는 내가 가질래요. 아무리 봐도 내 취향이거든요."

"그래, 저 예쁘장한 여자 노예랑 장안을 들썩이게 했던 꼬마 도둑만으로도 훌륭한 선물이 될 테니까. 얘들아, 저 노빈손만 빼놓고 나머지 놈들을 모두 지하 감옥에 가둬라."

106

피라미드 노동자들의 월급은?
노동에 대한 임금은 현물로 빵, 맥주, 콩, 양파, 건육, 기름, 소금, 마늘 등이 지급되었다. 임금은 직공장·서기, 도안공·조각가·화가, 채석공·석공, 미숙련 노동자 순으로 차등 지급되었다.

이집트, |ㅁㅓㄴ 과거 세ㄷ ㅣ로 누누ㅓ
속속들이 헤집고 다니기

거대한 피라미드 건축의 비밀 파헤치기

정말 피라미드를 외계인이 만들었을까?

건축 전문가들은 오늘날과 같은 최첨단 장비를 동원하지 않고 피라미드를 건축하는 것은 불가능하다고 지적한다. 왜냐하면 피라미드 건축에 적용된 오차의 범위가 오늘날의 건축물에 비해 훨씬 작기 때문이다.

계단식 피라미드

예를 들어 오늘날 가장 정밀한 건축물인 파리 천문대와 그리니치 천문대는 정확히 자오선(어떤 지점에서 정북과 정남을 따라 천구에 상상으로 그은 선)과 일치하도록 설계되었다. 하지만 실제로 측정한 결과 각 천문대는 자오선 방향에 대해 6호분과 9호분씩 틀어져 있었다. 이에 비해 쿠푸왕 무덤으로 알려져 있는 대피라미드는 3호분(1m당 1mm 정도의 차이) 남짓 어긋나 있을 뿐이다.

곡선형 피라미드

사각뿔 피라미드

107

이런 이유로 어떤 이들은 피라미드를 외계인들이 만들었다고 추측하기도 하는데, 여러분은 어떻게 생각하는지?

피라미드 쌓는 방법

❶ 나일 강 서쪽이면서 물이 잘 잠기지 않는 곳을 골라 피라미드 세울 곳을 정한다.

❷ 피라미드를 짓기 위한 기초 공사를 한다. 모래와 자갈을 치우고 바위로 된 바닥이 드러나게 한 후 편평하게 다진다.

❸ 피라미드의 네 면이 향하게 될 방향을 정해 동서남북을 표시한다.

❹ 피라미드 주변의 채석장에서 가져온 석회암(무게 2~3톤)으로 가

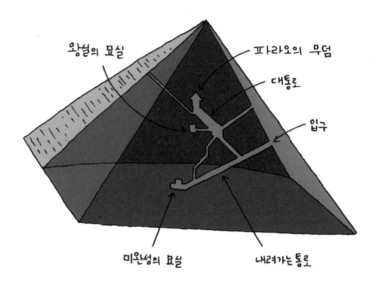

왕실의 묘실

파라오의 무덤

대통로

입구

미완성의 묘실

내려가는 통로

운데에서부터 첫 단을 쌓기 시작한다.

▶ 바위에 작은 구멍을 내고 거기에 나무 쐐기를 박은 다음, 쐐기에 물을 부으면 나무가 불어나면서 바위가 쉽게 쪼개진다.

▶ 피라미드 내부에 방을 만들 때 사용되는 단단한 바위는 기자의 피라미드 공사장에서 1,000km나 떨어진 아스완에서 구해 와야 하므로 힘 좋은 일꾼들을 고용하는 것은 필수!

▶ 이집트 사람들은 수레나 말을 이용한 운반법을 알지 못했다. 그래서 돌덩이를 굴림대 위에 올려놓고 밧줄로 끌고, 동시에 지렛대로 밀어내면서 운반했다.

❺ 자, 이제 피라미드가 점점 높아지면서 돌을 쌓기 힘들어졌다면, 피라미드 옆에 돌을 운반할 수 있도록 흙으로 경사로를 쌓는다. 경사로는 피라미드 주위를 도는 나선형이나 피라미드와 마주 보는 직각으로 만들 수 있으니, 취향에 맞는 걸 선택하도록.
이 때 피라미드가 높아지면 경사로도 계속 높아져 비슷한 높이를 유지해야 한다.

(경사로는 피라미드 둘레의 네 배가 되었을 것으로 추측하는데, 피라미드 공사가 끝난 후 경사로를 제거하는 작업만 해도 무려 5년이 넘는 시간이 걸렸다고 한다.)

▶ 왕의 방은 피라미드 꼭지점 바로 아래에 오도록 만든다.

❻ 피라미드가 완성되면 최고급 석회암으로 겉을 덮고, 매끈하게 다듬는다.

피라미드를 지을 때 사용한 공구들

긴자

직각자

여러 종류의 망치

흔들이 축가 달린 수평기

" 〇 "

4^부

가까이 하기엔 너무 먼 당신

"고맙지? 죽을 뻔한 걸 살려 줬으니까. 하지만 이번 한 번뿐이야. 내가 예뻐해 줄 테니까 도망가지 마. 너처럼 구슬을 빨리 꿰는 노예는 본 적이 없거든. 이리 와서 다리 좀 주물러."

두건을 걷어올려 드러난 두르리나의 다리는 불국사 돌기둥처럼 굵었다.

'평소에 엄마, 아빠도 안마해 드린 적이 없었는데… 불효자를 용서해 주세요.'

어느새 마음은 엄마, 아빠가 계신 집으로 향하고 있었다. 두르리나의 다리를 보고 있자니 말숙이 생각도 새록새록 자라났다.

"안마를 하랬더니 왜 간질이고 그래. 힘 있게 좀 주물러 봐."

담요를 짜듯 힘겹게 안마를 하는 노빈손의 얼굴에 어느새 굵은 땀방울이 맺혔다. 그나저나 지하 감옥으로 끌려간 크다만파트라는 뭘 하고 있을지, 나이 어린 쥐방울은 지하 감옥을 무서워하지나 않을까? 파라파 아저씨랑 다른 반군 아저씨들도 지하 감옥에 갇혔겠지?

내일 몰자바 대신이 이곳에 오기 전까지 그들을 구해 내야 할 텐데…. 노빈손의 머리가 위잉~ 소리를 내며 돌아가기 시작했다.

개인기가 하나씩은 있었던 이집트의 하인들
이집트의 하인들은 귀족의 가정에서 빼놓을 수 없는 존재였다. 이들은 집 안에서 악기를 연주하든가 연회 때 손님 시중을 들고, 그 밖의 하인들은 요리 · 빵굽기 · 빨래 · 밭일 등을 했다. 하인은 전쟁에서 사로잡은 누비아인이나 아시아인 등 외국인인 경우가 많았고, 주로 노예 시장에서 사왔다. 5파운드의 마늘이면 남자 노예 한 명을 살 수 있었다고 한다.

"아, 이제 좀 피곤이 풀리는 것 같다. 이제 더워졌어. 부채질 좀 해줘."

커다란 부채를 아래위로 흔들고 있는 모습이 영락없이 옥황상제 옆에서 부채질하고 있는 선녀다.

"강풍… 약풍… 미풍… 태풍… 다시 약풍."

두르리나는 이제 노빈손을 선풍기 취급 하며 바람의 속도까지 주문하고 있었다.

"둘둘 감고 있는 두건만 벗어도 훨씬 시원할 텐데. 차라리 이 두건을 벗지 그래요?"

무심코 두르리나의 두건을 들어올린 순간 노빈손은 그 자리에 얼어붙었다.

으헉─, 두르리나의 등 한가득 울긋불긋 커다란 악어가 그려져 있었다. 날카로운 발톱에 번뜩이는 눈, 악어 핸드백처럼 오돌토돌한 등에서 꼬리까지, 그야말로 완벽한 한 마리의 악어가 등에서 잠을 자고 있었다. 두건 속에 이런 비밀이 숨겨져 있었다니….

이집트에서는 신들을 위한 의식의 하나로 문신을 한다는 얘기를 듣긴 했지만, 등 전체를 악어로 장식한 사람이 있을 줄이야. 그것도 두르리나가!

"어머, 봤구나? 우리 아빠는 날 여리게만 알고 계시지만, 사실 한때 내가 조직 생활을 좀 했거든. 여태껏 이 문신을 본 사람은 없었는데. 아무한테도 말하면 안 돼, 알았지? 말했다

침대는 필수품이 아니라 사치품?
침대를 처음 사용한 것은 이집트인들이며, 실용적인 면보다 귀족들만 사용하는 장식적인 면이 강한 사치품이었다고 한다. 서양에서는 침대가 고대 이집트에서 현대에 이르기까지 민족과 생활 양식에 따라 여러 가지 형태로 발전해 왔다. 침대는 19세기 후반에 들어서야 서민 계층에 보급되기 시작했다. 이 때부터 침대는 장식적인 면보다는 실용적인 면에 중점을 두게 되었다.

간 애들 풀어서 뜨거운 맛을 보게 할 테니까. 이렇게 오랜 시간 동안 누굴 안 때려 보긴 처음인 것 같아. 내가 널 얼마나 귀여워하는 줄 알겠지? 악어 옆구리 좀 긁어 줄래?"

문신한 인형

문신이란 피부에 상처를 만들고 색소 등을 넣어서 그림이나 문자를 나타내는 것이다. 문신의 풍습은 이미 원시 시대부터 있었다. 기원전 2000년경 이집트의 미라와 세티 1세의 무덤에서 나온 인형에 문신이 나타나 있다. 인형뿐만 아니라 사람에게도 문신을 했다는 고고학적 증거들이 발견되고 있다.

피라미드 공사장 탈출 대작전

노빈손은 두르리나가 잠들 때까지 밤새도록 팔, 다리, 어깨를 주물러 댔다.

딸각 딸각—.

꾸벅꾸벅 졸면서 부채질을 하던 노빈손은 문고리가 돌아

가는 소리에 눈을 번쩍 떴다.

"너, 넌?"

"노 형, 나야."

세빌리오였다. 옆에는 크다만파트라도 있었다. 늘 원수 같았던 두 사람이었지만 오늘따라 왜 이리 반가운지….

"헤헤, 노 형 표정 보니 내가 많이 보고 싶었나 보다, 그치?"

"가만히 있으면 밉지나 않지. 반갑긴 누가 반가워한다고 그래."

말은 그렇게 했지만 노빈손의 얼굴에는 멋쩍은 웃음이 퍼졌다.

"어떻게 빠져나왔어?"

"세빌리오가 열쇠를 훔쳤어."

"좀 있으면 몰자바가 들이닥칠 테니까 빨리 파라파 대장을 구출해 내자."

세 사람은 두르리나가 눈치채지 못하도록 고양이 걸음으로 살짝 방을 빠져나갔다.

파라파 대장이 갇혀 있는 곳은 생각보다 더 깊은 지하 감옥이었다. 아부샤르의 부하들이 2미터 간격으로 지키고 있는 지하 감옥은 그야말로 물샐틈도 없어 보였다.

"생각보다 경비병의 숫자가 너무 많은걸."

노빈손이 낮은 소리로 속삭이자 세빌리오도 말했다.

노빈손보다 먼저 이집트 탈출에 성공한 모세
이집트에서 노예의 삶을 살던 이스라엘 백성들이 뛰어난 지도자 모세의 지도로 이집트를 빠져나와 홍해를 반으로 가르는 기적을 연출하며 탈출에 성공한다. 이것을 기록한 것이 성경의 출애굽기이다. 이 사건이 일어난 연대에 대해서는 여러 가지 설이 있으나, 최근에는 람세스 2세 시대로 보는 설이 가장 유력하다. 물론 이런 사건은 고대 이집트의 기록으로는 확인되지 않는다. 출애굽은 이집트의 연대기에서는 사소한 사건에 불과했기 때문이다.

"그러게 말이야, 저 사람들은 잠도 안 자나. 잠자고 있으면 아까처럼 열쇠를 훔쳐오면 되는데."

"게다가 너무 어두워서 내 미인계도 통하기 힘들 것 같아."

'으이그— 웃자 웃어.'

공주병 말기 증세인 크다만파트라의 말에 표정 관리 안 되는 노빈손이 억지로 웃으려니 치질 걸린 사람처럼 어색한 표정이 지어졌다. 노빈손은 재빨리 머리를 굴려 탈출할 수 있는 방법을 검색하기 시작했다.

"방법이 하나 있긴 한데 말이야…. 영화에서 많이 본 방법이거든."

아줌마가 된 노빈손

"저… 저기요."

"웬 놈이야!"

아줌마 파마 가발을 쓰고, 가슴엔 물주머니를 넣어 부풀리고, 얼굴엔 요란한 화장을 해서 아줌마로 변장한 노빈손이 어둠 속에서 나타나자, 경비병은 잔뜩 긴장한 채 노빈손의 목에 창을 겨눴다.

"전 여기 갇혀 있는 파라파 씨의 부인 골아파예요. 갇혀 있는 남편이 너무 보고 싶어서… 흑흑~."

"아줌마, 지금 면회 시간 끝났어요. 내일 다시 오세요."

노빈손은 옷을 잔뜩 넣어 만삭처럼 부풀린 배를 경비병에게 보이면서 연기를 했다.

"제가 내일이 출산 예정일인데요, 내일 오기는 힘들 것 같아서… 아기 낳기 전에 애 아빠를 꼭 보고 싶어서요. 부탁드립니다, 흑~."

파라파 부인, 골아파라고?

크다만파트라와 세빌리오는 노빈손의 천연덕스러운 연기에 웃음이 터져나오려 했지만, 허벅지를 꼬집으며 간신히 참아내고 있었다. 역시 노빈손은 애드리브의 천재라니까. 만삭의 몸으로 찾아온 임산부를 보자 경비병들의 마음도 약해지기 시작했다. 결국 그들은 철통 같은 자물쇠를 열고 노빈손을 파라파가 갇혀 있는 독방으로 데려갔다.

"이봐, 파라파. 자네 부인이 찾아왔네."

"부인이라니, 무슨 소리야. 이 사람이 누구 혼사 길 막을 작정을 했나. 내가 어디로 봐서 유부남으로 보여, 응? 관절염만 빼면 나도 이집트 최고의 신랑감이라고. 아이고, 팔 아파."

하지만 파라파의 말은 호들갑스런 노빈손의 혼신 연기에 가려 잘 들리지 않았다.

"여보, 저예요, 골아파. 너무 오래 갇혀 계시더니 제 얼굴도 잊으셨군요. 보고 싶었어요, 여보. 흑흑흑."

이집트에도 연예인이?
이집트 상류층의 연회에는 난쟁이나 레슬러, 야담가 등이 나와 재주를 보여 주어 연회의 분위기를 더했다. 그 다음에는 댄서들이 나타나 느릿느릿 하면서도 흥을 돋우는 춤(다리 올리기, 발끝 회전, 재주넘기 등)을 보여 주었다. 손님들은 이런 것을 구경하면서 배탈이 날 정도로 많이 마시고 먹었다고 한다. 어찌 보면 이들은 인류 최초의 연예인이라고 할 수 있다.

파라파는 난데없는 부인의 등장에 할 말을 잃었다.

"내일이면 아기 아빠가 된다니 축하해. 그리고⋯."

경비병은 파라파의 귀에 대고 속삭였다.

"부인이 정말 특이하게 생겼구먼. 자네 취향 참 독특해. 어쨌든 오랜만에 오붓한 시간 보내라구."

경비병이 파라파가 갇혀 있는 감옥의 문을 열자 만삭의 아줌마로 분장한 노빈손이 안으로 들어갔다.

"여보, 그 동안 얼마나 고생이 많으셨어요."

노빈손은 와락 파라파의 품에 달려들어 입맞춤을 했고, 경비병은 두 사람의 모습을 흐뭇하게 바라보다가 자리를 피해 주었다.

"아, 아, 아줌마. 누, 누구요? 왜 이러시는 거예요?"

"파라파 아저씨. 쉿! 저, 노빈손이에요. 뽀뽀까지 할 생각은 없었는데, 연기에 너무 몰입하다 보니까. 퉤퉤ㅡ."

"웩! 노, 노빈손? 너⋯ 너, 여긴 어떻게? 그 옷은 또 뭐냐?"

파라파 대장은 관절염도 잊고 손을 뻗어 노빈손을 가리키며 함지박만하게 벌어진 입을 다물지 못했다.

"짠! 여기까지 들어오려면 이 방법밖에 없더라구요. 놀랐죠? 자, 기대하세요, 이제부터 작전 시작이니까요."

노빈손은 손가락으로 브이를 그려 보이며 윙크를 했다.

"파라파, 여보, 배가, 배가⋯ 아이고 배야, 아이고!"

도굴과의 전쟁
고대 이집트에는 유명한 도굴꾼들이 있었다. 그들은 왕의 시신이 있는 피라미드에 아무리 교묘한 미로를 만들어도 그것을 찾아내어 부장품을 도굴했다. 가장 완전한 상태로 발굴되었다는 투탕카멘 왕의 무덤에도 도굴꾼이 침입한 흔적이 있었다고 하니, 그들의 활약이 어느 정도였는지 가히 짐작할 만한 일이다. 고대 이집트 왕묘의 역사는 도굴의 역사와 함께한다고 해도 과장이 아닐 것이다.

"골아파, 왜 그래? 배 아파?"

노빈손이 출산의 고통을 느끼는 임산부처럼 비명을 질러 대자, 경비병이 후다닥 달려왔다.

"무슨 일인가?"

"노빈… 아니 골아파가 아이를 낳으려나 봐요."

"뭐?"

"아, 아아악."

리얼한 노빈손의 비명 소리에 경비병이 화들짝 놀랐다.

"그… 그럼 어떡하지?"

"까아악— 애가 나오려나 봐요. 아악!"

"어떡하긴 뭘 어떡해요, 어서 의사, 의사를 불러요."

얼이 빠진 경비병에게 의사를 불러오라고 호통을 치자 경비병은 허둥지둥 의사를 부르러 나섰다.

한편 돌파리오는 감옥에 갇힌 자기 신세를 한탄하고 있었다. 몰자바 대신이 시키는 대로 우물도 오염시키고 나쁜 소문도 퍼뜨려 줬더니 돌파리오를 지하 감옥에 가둔 것이다. 뭐, 비밀을 지키기 위해서라나? 세상에 믿을 놈 하나도 없더니. 시름에 빠진 돌파리오에게까지 경비병의 고함 소리가 들렸다.

"의사 없습니까, 의사! 누구 의사 아는 사람 없소?"

그 소리를 듣고 독방에서 쭈그리고 잠을 청하던 돌파리오가 부스스 일어났다.

틀니를 한 이집트인들
임플란트란 치아가 빠진 부위에 인체에 가장 적합한 금속(티타늄)으로 만든 인공 치아를 치조골 내에 이식하는 시술을 말한다. 임플란트의 역사는 고대 이집트로 거슬러 올라간다. 고고학적 발견에 의하면 고대 이집트나 남아메리카 사람들의 미라에서 임플란트 시술 흔적을 찾을 수 있다고 한다.

"내가 의사인데, 무슨 일이슈?"

"그래요? 그렇다면 어서 빨리 이쪽으로…."

"도대체 무슨 일인데…."

"어서… 어서… 산모… 출산… 아기… 비명…. 헉헉~."

급한 마음에 경비병은 간신히 단어들만 나열하고 가쁜 숨을 몰아쉬었다.

"그게 뭔 말이야, 말을 해 말을, 이 사람아."

"산모… 출산… 산통… 어서…."

"그게 무슨 소리야? 산통? 누가 산통을 깼어?"

"아유~ 답답해. '딱' 하면 마른 나무 부러지는 소리고, '으악' 하면 낭떠러지에서 떨어지는 소리지, 그걸 못 알아들

어요. 지하 감옥에 면회 온 파라파 부인이 산통을 느끼고 있
어요. 곧 있으면 아기가 나올 것 같아요. 어서 빨리 의사 선
생님이 가셔서…."

"아, 아기? 사람 참, 진작 그렇게 얘기했으면 알아들었
지…. 난 못 가."

"왜, 왜요? 환자가 있으면 의사 선생님이 당연히 가보셔야
되는 것 아닌가요?"

"의사는 의사지만 난… 장의사거든."

수상한 사람들

노빈손의 각본대로 의사와 간호사로 변장한 세빌리오와 크
다만파트라가 등장했다.

"여기 산모가 있다는 연락을 받고 왔습니다. 전 닥터 다고
칠래고 이쪽은 내 간호사요."

경비병의 눈썹이 어딘가 의심스럽다는 듯 올라갔다.

"어, 여기 산모가 있다는 걸 어떻게 아셨어요? 그리고 의
사 선생님이 너무 어려 보이는데… 이 사람들 수상한 사람들
이잖아?"

"그, 그건… 내가 중고등학교를 검정고시로 통과하고 의대
에 들어갔기 때문이죠. 그런데 지금 그게 중요합니까! 사람

이집트 숫자에 없는 것
은?
이집트인들은 그들만의
숫자가 있었다. 물론 지
금의 아라비아 숫자가
아닌 작대기 모양을 한
독특한 그들만의 기호
였는데 1은 작대기 하
나, 2는 작대기 둘을 그
리는 식이다. 이들은 이
작대기 숫자를 이용하
여 1에서부터 10,000까
지 자유롭게 쓸 수 있었
다고 한다. 하지만 0은
없었다.

이 말이야, 산모의 건강이 우선이지, 그런 쓸데없는 질문이나 하고 말이야. 산모 어딨어요?"

세빌리오의 호통에 경비병은 허둥지둥 세빌리오와 크다만파트라를 파라파가 있는 곳으로 안내했다.

"의사 선생님, 배가… 아악!"

세빌리오는 정말 의사가 된 것처럼 노빈손의 배를 여기저기 만지면서 진지하게 진찰하는 흉내를 냈다.

"진통이 심해지고 있군요. 빨리 병원으로 옮겨야겠습니다. 어서 들것을 준비해 주세요."

경비병은 서두르는 탓에 발이 꼬여 넘어질 뻔하다가 간신히 균형을 잡고는 근처에 있던 들것을 가지고 나타났다.

"어서 이쪽으로 옮기세요."

파라파가 노빈손을 부축하고 세빌리오와 크다만파트라는 이들을 도우며 그렇게 유유히 지하 감옥을 빠져나오는 듯싶었으나….

투둑—.

만삭인 배를 만들기 위해 구겨 넣었던 옷들이 몸을 움직이면서 노빈손의 몸에서 떨어져 내렸다. 1초, 2초… 경비병도 노빈손도 파라파도 세빌리오도 크다만파트라도 아무 말도 못 하고 바라보고만 있는 침묵의 시간이 흘렀다.

"노 형, 이럴 땐 어떻게 하는 거야?"

"그걸 몰라서 물어? 이럴 땐 무조건 36계야, 달려. 달려."

미라 연구의 발전
1800년대 이전 과학자들은 옛날 사람들이 앓았던 질병을 조사하기 위해 미라를 연구했는데, 미라의 붕대를 푸는 과정에서 많이 훼손되었다고 한다. 하지만 요즘에는 현미경과 엑스레이, 전자 스캐너를 사용하여 미라의 붕대를 풀지 않고도 미라 몸 안의 상태를 훤히 알 수 있게 되었다.

악어에게 던져 버려라

피라미드 공사장으로 향하는 몰자바 대신의 행렬은 천지를 뒤흔들 만큼 요란했다.

파라오의 자리가 비어 있고, 크다만파트라 공주가 어리다는 핑계로 권력을 조금씩 차지해 나간 몰자바의 세력은 나는 새도 떨어뜨릴 정도로 막강해져 있었다. 이제 다들 몰자바가 파라오로 등극하는 것은 시간 문제라고 쑥덕거렸다. 왕궁 안이 몰자바의 세력들로 들끓을수록 고통당하는 것은 백성들이었지만, 누구도 그 원성에 귀를 기울이지 않았다.

낙타와 무희들의 행렬이 멈추고 붉은 양탄자가 깔리자, 기름기 좔좔 흐르는 몰자바가 모습을 드러냈다.

"먼 길 오시느라 수고하셨습니다. 이렇게 누추한 곳까지 와주시다니… 신 아부샤르, 이 자리에서 죽어도 여한이 없습니다요."

아부샤르가 허리를 굽히며 굽실거리자, 몰자바가 애완동물을 쓰다듬듯이 그의 머리를 몇 번 쓰다듬어 줬다.

"그래, 그 동안 잘 있었나? 안 보는 사이에 머리가 더 빠진 것 같구먼."

"몰자바 대신께서 제 걱정을 해주시다니. 오늘을 집안 대대로 기념일로 삼아야겠습니다."

"그래, 아주 기특한 생각이야."

풀리지 않는 신비
무엇에 쓰는 물건인고?
아주 오래 전 이집트의 왕 알마문은 쿠푸 왕의 대피라미드를 뚫고 들어갔다. 그러나 현실에 있던 석관에는 보물은 커녕 미라도 없었다. 이 사실에 대해 두 가지 추측이 나오고 있다. 하나는 왕의 진짜 묘는 다른 곳에 숨겨져 있다는 것이고, 또 다른 하나는 대피라미드는 사실 묘가 아닌 다른 목적으로 만들어졌다는 것이다. 아직도 대피라미드의 정확한 용도는 밝혀지지 않았다.

두 사람을 보고 눈살을 찌푸리는 사람들도 있었지만, 누구도 티를 낼 순 없었다. 괜히 몰자바의 신경을 건드렸다간 단칼에 목이 날아갈 테니까.

"그래, 공사 진행은 잘 되고 있지?"

"그럼요, 몰자바님의 은혜에 힘입어 화강암 한장 한장 정성들여 잘 쌓고 있습니다요. 참, 어제 탈출을 시도했던 노예들을 가둬 놨습니다만, 이 녀석들을 어떻게 할깝쇼?"

"재판하기도 귀찮으니 그냥 나일 강 악어들한테나 던져 줘. 노예 몇 명 죽는다고, 아니 몇백 명 죽는다고 세상이 어떻게 되겠어. 악어들 오늘 단체 회식하는 날이겠구먼, 캬캬캬~."

"히히히, 그럼 말씀하신 대로 하겠습니다요. 저는 고작 한두 명 주동자만 악어한테 던져 줄 생각을 하고 있었는데, 다 던져 버리라니. 몰자바 대신께서는 어쩜 이렇게 통이 크실까?"

"내가 좀 통이 크다는 소리를 듣지. 우캬캬캬~."

아부샤르의 아부가 하늘을 찌를 무렵 헐레벌떡 경비병이 뛰어들었다.

"아부샤르 감독관님, 감독관님….."

"웬 녀석이냐! 어느 안전이라고 호들갑스럽게. 몰자바 대신님, 기분이 상하셨다면 저놈의 목을 칠깝쇼?"

"됐어. 그렇게 죽여 댔다간 이집트 사람 다 죽고 너랑 나만

람세스 즉위 8년의 비문 "선택받은 용감한 노동자들이여…"로 시작하는 이 비문은 신전을 지은 노동자들을 치하하는 람세스 대왕의 마음을 잘 담고 있다. "그대들 덕분에 내가 지은 모든 신전을 장식할 수 있었노라. 나는 여러 가지 방법으로 그대들의 필요를 채워 주리라. 그러므로 그대들은 사랑하는 마음으로 나를 위하여 일하라"라고 끝맺고 있다.

남을 거다. 무슨 이유인지 들어나 보지 뭐."

"운 좋은 줄 알아라. 그래, 무슨 일이냐?"

"지하 감옥에 가둬 뒀던 놈들이 탈출했습니다. 그리고 그 특이하게 생긴 노… 노빈손이라는 녀석도 덩달아 탈출했습니다."

"특이하게 생겼다고?"

몰자바의 고개가 갸우뚱 기울어졌다.

"얼마 전에 여동생이랑 같이 끌려온 녀석입니다. 워낙 특이하게 생긴데다가, 동생은 또 얼마나 미인이던지. 키가 좀 작아서 그렇지…."

"뭐라고? 동생이 미인이고 키가 작다고? 그럼 혹시 하늘에서 떨어진 녀석과… 크, 크다만파트라 공주?"

노빈손과 크다만파트라가 왜 이곳 피라미드 공사장에 있는지 모를 일이지만, 한시바삐 그들을 잡는 것이 급했다.

"이 멍청한 아부샤르 녀석. 그렇게 안 닮은 남매 본 적 있어? 게다가 현상 수배 전단을 사방에 뿌렸는데… 하늘에서 떨어진 녀석을 알아보지 못하다니. 그 얼굴이 좀 특이해. 머리는 장식품이야?"

몰자바의 성격을 너무나도 잘 알고 있는 아부샤르는 이가 딱딱 부딪칠 정도로 몸을 떨었다.

"당장 그 녀석들을 잡아들여! 안 그러면 제일 먼저 네 녀석의 목부터 칠 테다."

악어가 새겨진 동전
이집트 마지막 여왕인 클레오파트라가 독사를 이용해 자살한 후 이집트는 당시 로마의 실력자 옥타비아누스의 개인 소유국으로서 4세기 동안 로마 제국에 복속되지만 고유성을 보존할 수 있었다. 옥타비아누스는 악티움 해전에서 승리한 후 악어가 새겨진 새로운 주화를 제조했는데 이 주화엔 "이집트는 점령되었다"라고 쓰여 있다.

"알겠습니다요. 얘들아, 뭐하냐! 녀석들을 모두 잡아들여라. 잡아서 뜨거운 맛을 보여 주게 꼭 생포해서 데려오거랏."

"아니… 아니, 그럴 필요 없어."

"그럼 녀석들을 그냥 놔두란 말씀이십니까?"

"아니, 꼭 생포하지 않아도 된다는 뜻이다. 무슨 뜻인지 알지?"

지금은 작전 회의 중

탈출한 노예들을 잡기 위해 아부샤르의 부하들이 사방에 깔렸다. 경비가 강화되었고, 혹시라도 밤을 이용해 노예들의 탈출이 이어질지도 모르기 때문에 여기저기 횃불을 밝혀 피라미드 공사장은 대낮처럼 환했다.

"이렇게 감시가 철저해서야 빠져나가기 어려울 것 같은데요."

다들 어떻게 이곳을 빠져나가야 할지 대책이 서지 않아 분위기는 무겁게 가라앉아 있었다.

"여길 빠져나갈 좋은 방법이 있는 사람은 손을 들고 기탄없이 얘기하도록 해라. 아니다, 팔 아프니까 손은 들지 않는 걸로 하고 대신 일어나서 말해라."

파라파의 말이 끝나자 기다렸다는 듯 크다만파트라가 벌

피라미드의 신비 1
피라미드를 뚝 떼어 내
저울에 무게를 달면 얼
마나 나갈까? 놀라지
마시라. 무려 63억kg!
그런데 이 63억kg이나
나가는 피라미드가 5천
년 동안 불과 1.25cm
밖에 가라앉지 않았다
면 믿을 수 있겠는가?
참고로 미국의 국회의
사당은 지난 200년 동
안 12cm 정도 가라앉았
다고 한다.

떡 일어나며 말했다.

"밖이 대낮처럼 밝다고 하셨으니까 제가 미인계를 써서…."

한동안 잠잠하다 했더니 또다시 도진 저 고질병. 크다만파트라가 말을 시작하자 사람들이 그녀의 타고난 미모를 보고 저마다 한마디씩 했다.

"오! 신이 내린 미모다. 키만 좀 컸어도…."

반군 대장 파라파는 크다만파트라의 얼굴을 물끄러미 응시했다.

"자네가… 다른 사람보다 타고난 미모를 가졌다는 건 인정해. 그 당돌할 정도의 자신감, 맘에 들어. 하지만 말이야, 미모는 미모 그 자체만으로 빛을 낼 수 없다는 것도 알아야 해. 자네의 그 미모를 더 빛나게 할 수 있는 그것, 그게 뭔지 찾아보라고. 만약 자네가 그걸 얻게 된다면, 내가 볼 땐 이집트 최고의 여자가 될 수 있을 거야."

세상에서 가장 중요한 건 미모라고 여기고 있는 그녀에게 뭐가 또 필요하다는 건지. 파라파 대장의 알 듯 모를 듯한 말에 크다만파트라는 큰 혼란을 느끼는 듯했다.

"내일이면 아스완에서 화강암이 들어오는 날이니까 경비가 더욱 강화될 거야. 그 전에 탈출에 성공해야 할 텐데…."

"아스완이요?"

"그래, 피라미드를 짓는 돌들을 배로 운반해 아스완에 도

127

피라미드의 신비 2
1992년 10월 이집트에 강도 6의 지진이 발생했다. 1분 동안 지속된 이 엄청난 지진으로 약 400명의 사망자가 발생하고 수백 채의 건물이 무너졌는데도 지진 당시 피라미드 안에 있던 관광객들은 약간의 흔들림만 느꼈을 뿐 모두 무사했다고 한다.

착한 후, 다시 이곳 공사 현장으로 운반해 온단다. 아스완까지 경사가 있는 모래 언덕이 이어져 있어 다른 곳보다 작업하기가 힘든 편이지."

"여기에서 강까지 경사가 져 있다면…. 발이 푹푹 빠지는 모래만 아니었어도 어떻게 해볼 수 있었을 텐데. 자동차가 있다고 해도 쑥쑥 빠지는 모래 위라서 안 될 테고. 어휴~ 모래 위를 빨리 갈 수 있는 방법 뭐 없나? 모래 위를 날아가듯이…."

끄으응―. 변비 환자처럼 신음 소리를 내며 고민하던 노빈손은 벌떡 일어나 외쳤다.

"그래! 바로 그거야. 이번엔 파라파 아저씨와 다른 분들의 도움이 필요해요."

노빈손은 파피루스 위에 어설프게나마 뭔가 설계도 비슷한 것을 그리기 시작했다.

쓱싹 쓱싹―.

"자, 이제 다 됐다. 여기 있어요. 이대로만 만들어 주시면 돼요."

"에계계, 딸랑 널빤지 두 개잖아. 이게 뭐야?"

피라미드의 신비 3
기원전 2600년 무렵은 아직 철기 시대 이전이므로 이집트인들은 철로 된 연장 없이 대 피라미드를 건설했다는 이야기가 된다. 청동으로 된 연장으로 5~10톤에 이르는 돌들을 오차 없이 자르고 다듬는 일은 현대 과학에서는 불가능이라고 말한다.

사막의 스키 부대

"노빈손, 이걸로 정말 모래 위를 빨리 갈 수 있을까?"

"물론이죠. 노빈손이 설계하고 세계 최고의 측량과 설계 기술을 자랑하는 이집트 사람들이 힘을 합쳐 만든 건데 두말 하면 잔소리고 세 말 하면 입 아프죠."

노빈손이 양 손에 든 지팡이를 세게 밀어대자 발 밑에 깔린 널빤지 두 개가 서서히 모래 언덕을 내려가기 시작했다.

샤샤샥 샤샤샥—.

이게 바로 노빈손표 특제 스키다. 단지 눈 위가 아닌 모래 위에서 탄다는 게 차이점이랄까.

"어? 어라? 땅 위에서 움직이네."

모래 위를 날아가는 듯한 그들을 보고 병사들은 마치 귀신을 본 듯이 얼이 빠져서 공격할 엄두도 내지 못했다.

"뭐하냐, 녀석들아. 어서 공격을 해! 창을 던져, 어서!"

병사들은 아부샤르의 고함 소리를 듣고 나서야 스키를 신은 노빈손을 추격하기 시작했다.

모래 위를 내려가는 한 떼의 스키 부대는 점점 가속도를 받아 속도가 빨라지고 있었다. 아부샤르와 몰자바가 듀엣으로 소리를 지르는 듯했지만 점점 멀어져서 들리지 않게 되었고, 100m 달리기 선수처럼 쫓아오던 병사들도 더 이상 스키 부대를 쫓아오지 못하고 떨어져 나갔다.

129

사막을 질주하는 스키
눈 위를 달리는 대신 사막의 모래 언덕을 달리는 사막 스키. 무게 때문에 쑥쑥 빠지는 모래 위에서 무게를 분산시키는 스키를 신으면 의외로 쉽게 모래 위를 달릴 수 있다. 실제로 사막에선 바퀴 대신 스키를 단 오토바이나 자동차가 유용하게 쓰이기도 한다. 하얀 눈 대신 고운 모래가 끝없이 펼쳐진 사막에서 스키를 타는 기분, 눈썰매와는 또 다른 매력이겠지?

"와아 와아!"

"달려라, 달려~."

스키를 탄 반군 병사들이 기쁨에 찬 환호성을 질러댔다. 노빈손에 대한 찬사와 열광의 도가니였다. 세빌리오는 노빈손을 존경의 눈빛으로 바라보며 물었다.

"노 형, 정말 다시 봤어. 형은 머리 엄청 많이 쓴다. 그렇게 머리 쓰면 머리 아프지 않아?"

"별로. 네가 그렇게 수다 떨면서도 입이 안 아픈 거랑 똑같지 뭐."

스키를 탄 일행은 모래 위를 빠르게 미끄러져 내려가 거의 아스완에 다다랐다. 멀리 나일 강의 찰랑대는 물결이 보이기 시작했다.

"저길 봐, 길을 밝혀 놓은 불빛이 끝나는 걸 보면 저기가 아스완일 거야."

"처음엔 두르리나가 왜 그렇게 널 좋아하는지 이해가 되지 않았는데… 이제야 그 이유를 알 것 같아."

크다만파트라가 만난 이래 처음으로 칭찬 비슷한 말을 하자 노빈손도 기분이 으쓱했다.

"노 형, 그런데 말이야, 이거 어떻게 멈추는 거야?"

"노빈손, 표정이 왜 그래? 설마, 멈추는 방법을 모르는 거야?"

"나도 사실 사막에선 스키를 처음 타보는 거거든."

사막을 농지로 만든 아스완 댐
이집트의 나일 강 중류에 있는 댐으로 길이 1,962m, 높이 5m, 저수량은 55억㎥이다. 홍수 조절 및 관개용 댐으로, 1902년 영국인이 완공하였다. 1961년에는 아스완 발전소가 가동되기 시작했으며, 이 전력으로 화학 비료 공장이 만들어졌다. 이 댐이 만들어지기 전까지 이집트의 농경은 에티오피아의 정기적인 강우에 따라 나일 강이 범람하는 것을 이용하였으나, 댐이 완공되자 나일 강의 수량을 조절하여 사막을 경지화할 수 있게 되었다.

"뭐, 뭐라고??!!"

가속도를 받은 스키는 이제 멈출 수 없을 정도의 속력으로 아래를 향해 치닫고 있었다. 바람은 고막을 찢어 놓을 듯이 거세졌다.

"아까 너한테 했던 말 다 취소야, 노빈손. 이제 우린 어떡해! 찰과상이 미모에 얼마나 큰 영향을 미치는데. 내 얼굴에 흠집이라도 났다간 책임져, 책임져!"

"노 형이 큰소리 칠 때부터 알아봤어. 아~ 꽃 같은 열한 살 청춘이 제대로 피어 보지도 못하고 이렇게 가는구나."

노빈손을 향하던 찬사는 어느새 질타와 야유로 바뀌었다.

모래 언덕 끝에 화강암을 실어 나르기 위한 선착장이 망가져서 끝이 스키 활강대처럼 구부러져 있었다. 스키 부대들은 활강대를 따라 휙— 휙— 돌며 동계 올림픽에서나 볼 수 있는 자세로 공중으로 솟아올랐다.

슈우우웅—.

노빈손은 떨어지면서 군대에서 유격 훈련 하듯이 자신이 아는 사람들의 이름을 외쳤다.

"엄마, 아빠, 말숙아, 가리봉 1동 통장님, 반장님~!"

나일 강의 범선 펠루카
바람의 힘으로 달리는 돛단배는 기원전 수세기에 고대 이집트에서 시작되었다. 이후 19세기에 이르기까지 바다를 항해하는 배는 모두 돛을 단 범선이었다. 이집트에서는 이 범선을 펠루카라고 부른다. 지금도 나일 강가에는 수많은 펠루카들이 전 세계에서 몰려온 관광객들을 기다리고 있다.

이집트 사회 구조 한눈에 꿰뚫기

고대 이집트 어린이들의 장래 희망 1순위는 서기관

고대 이집트 사회에서 성직자나 의사, 건축가, 예술가 등이 되기 위해서는 필수적으로 서기관 교육을 받아야 했다. 서기관은 서로 다른 상형문자들을 읽고 쓸 수 있는 능력에서부터 고전을 베끼고 번역하며, 사회 각 분야에 대한 다양한 글을 기록하고 관리하는 일까지 맡아 해야 했다. 이러한 서기관의 능력은 어린 시절부터 혹된 교육을 받아 양성되는 것이었다.

일반적으로는 직업이 대대로 세습되었지만, 능력에 따라 직업 변동이 가능했던 이집트 사회에서 서기관은 부와 높은 지위가 보장되는 선망의 대상이었다. 그렇기 때문에 신분 상승을 꿈꿀 수 있는 서기는 모든 이집트 어린이들의 장래 희망 1순위였다.

파라오

이집트를 다스리는 전지전능한 왕이자 제사관이며, 신이자 군대 지휘관. 공식 행사 때는 헤카와 네카카를 양 손에 들고

가짜 수염을 턱에 달았으며, 불길을 내뿜으며 파라오를 보호한다는 암코브라가 달린 푸른색 관을 쓰는 것이 코디 포인트.

이집트 신분 피라미드 : 이집트 사회 구조

귀족

파라오 다음의 지위를 지닌 왕족과 귀족들. 수상이나 대신의 지위를 가지고 종교와 군사의 고위직을 담당했으며, 좋은 집에서 하인들을 수십 명씩 거느렸다. 특히 수상은 제2인자이자 '파라오의 눈과 귀'로서 경찰권과 세금과 관련된 업무를 맡았다.

서기

각종 문서를 담당하는 관리. 한 사람이 서기가 되기까지 10년의 세월이 걸렸으며, 그들이 외워야 하는 기호의 수는 평균 700개가 넘었다고 한다. 이들은 붉은색과 검은색 고체 잉크를 물에 녹여 가느다란 갈대 붓으로 파피루스에 글을 썼으며, 세금 징수를 감독하고 각종 문서들을 작성한다.

장인

옷감 짜는 사람, 목수, 도예공, 건축가, 화가, 조각가, 미라
만드는 사람, 보석상, 금속공예가 등 각종 예술 작품과 생활
용품을 만드는 사람. 한 곳에 모여 마을을 이루고 살았으며,
전문적인 작업장을 갖추고 분업해서 일했다. 파라오의 무덤
에 들어갈 공예품을 만드는 것을 가문의 대단한 영광으로
여겼다.

농민

인구의 90%를 차지하는 사람들이다. 평소엔 가축을 기르고
농사를 지어 세금을 내고, 농한기에는 피라미드를 만들며,
전쟁이 나면 나가서 싸워야 했다. 옷이라곤 남자는 파피루
스로 만든 천을 허리에 두르는 것이 전부이고, 허름한 집에
서 동물들과 같이 살았다. 그러나 이집트 역사상 가장 힘든
삶을 살았던 이들이야말로 고대 이집트 사회를 이끌어 가는
실질적인 축이었다.

람세스 2세, 클레오파트라 7세, 투탕카멘과의 가상 인터뷰

파라오 들과 인사하실래요?

오늘은 노빈손 세계 여행 기념 특집 이벤트로 이집트의 185
명 파라오들 중에서 가장 많이 알려진 세 분을 모시고 인터
뷰를 하도록 하겠습니다. 객원기자로는 용감무쌍하게도 세
계를 겁 없이 여행 중인 노빈손이, 언제나 그렇듯 시키지도
않았는데 나서서 인터뷰를 진행하겠습니다. 클레오파트라
여왕, 람세스 대왕, 그리고 소년왕 투탕카멘을 모셨습니다.

(짝짝짝―)

136

노빈손 〉 세기의 미녀 클레오파트라 여왕을 인터뷰하게 되어 영광입니다. (꾸벅—) 어, 아줌마는 누구세요?

클레오파트라 7세 〉 내가 바로 그 유명한 클레오파트라다. 이집트의 마지막 여왕이지.

노빈손 〉 (컥—) 듣기로는 클레오파트라 여왕님은 엄청난 미인이었다고 하던데…?

클레오파트라 7세 〉 그럼 내가 미인이 아니란 말이냐?

노빈손 〉 아, 아뇨. 그런데 생각보다 키가 작으시네요? 게다가 코도 그리 높지 않으시고요.

클레오파트라 7세 〉 그건 역사가들이 약간 허풍을 떤 거야. 개들은 원래 과장하는 걸 좋아하거든. 하지만 내가 5개 국어에 능통한 머리 좋은 미녀라는 건 사실이지. 미인박명이라더니… 로마와의 해전에서 패배해 결국 난 젊은 나이에 독사로 자살을 해야 했단다.

(이 때 풍악 소리 울리며 람세스 2세 화려하게 등장)

람세스 2세 〉 어, 잘 있었나? 노빈손 시리즈는 나도 열심히 읽고 있지. 오, 실물이 그림보다 훨씬 낫구먼.

노빈손 〉 감사합니다. 어? 람세스 2세께서도 참 미남이시네요. 특히 그 매부리코가 정말 남자다워요.

람세스 2세 〉 이거? 미라를 만들 때 내 코에만 특별히 후추 열매를 넣었거든. 그러면 붕대로 아무리 감아도 코가 납작해지지 않지. 내가 만든 건물과 석상들을 봐도 알 수 있겠지만, 난 나름대로 미를 추구하는 남자란다.

노빈손 〉 듣기엔 너무 미를 추구한 나머지 아름다운 여자들도 많이 부인으로 삼으셨다죠?

람세스 2세 ▶ 나도 정확한 수는 몰라. 스물까지 세고는 나도 포기했거든. 그뿐인 줄 알아, 자식은 모두 100명이 넘어. 가끔은 그 녀석들 이름 외우다가 하루가 다 간다니까.

노빈손 ▶ 와, 정말 여러 가지 면에서 이집트 최고의 왕이시네요~.

(이 때 소년왕 투탕카멘이 황금 마스크를 쓰고 등장)

노빈손 ▶ 어? 갑자기 실내가 환해졌다 했더니… 언제 오셨어요?

투탕카멘 ▶ 방금 전에. 머리가 아파서 잠시 바람 좀 쐬느라고 늦었어.

노빈손 ▶ 어디 아프세요?

투탕카멘 ▶ 암살당할 때 머리를 가격당해서 그런지 아직도 가끔 좀 쑤셔.

노빈손 ▶ 투탕카멘 왕은 열여덟 살에 안타깝게 세상을 떠난 파라오로도 유명하지만, 부인을 하나만 둔 순애보의 파라오로도 유명하거든요?

투탕카멘 ▶ 그래? 그건 내가 어려서 죽었기 때문이지. 거의 결혼하자마자 바로 죽었다고. 재상 아이가 왕권을 노려 저지른 짓이라는 건 전후 상황으로 보아 충분히 짐작이 갈 거야. 내가 죽자마자 바로 내 어린 신부와 결혼하고 왕위를 차지했으니까. 그러나 역시 신은 있었어. 겨우 4년 후에 재상아이는 죽고 말아. 천벌을 받은 거지.

노빈손 ▶ (부르르~) 역시 정의는 살아 있었군요. 마지막으로 세 분 모두 성실히 인터뷰에 응해 주셔서 정말 감사합니다. (넙죽—)

 세 사람 〉 뭘 별로. 안 그래도 심심했는데 재밌었어. 그럼 노빈손, 다음에 또 보자구.

투탕카멘(Tutankhamen)

 BC 14세기에 활동한 이집트 제18왕조의 12대 왕. 1922년에 손상되지 않은 상태로 발굴된 무덤으로 유명하다. '아마르나 혁명'을 이끈 아크나톤 왕이 죽은 뒤 즉위했으며, 18세의 젊은 나이에 죽었다. 그의 죽음에 대한 의혹은 아직까지 풀리지 않고 있다.

람세스 2세(Ramses II)

 BC 13세기에 활동한 이집트 제19왕조의 세 번째 왕. 이집트 역사상 두 번째로 오랫동안 왕위에 있었다. 히타이트족 · 리비아족과의 전쟁 이외에도 방대한 건설 사업과 이집트 여러 곳에 자신의 거대한 조각상을 많이 만든 것으로 유명하다.

클레오파트라 7세(Cleopatra VII, BC 69~BC 30)

 이집트의 프톨레마이오스 왕조 최후의 여왕. 율리우스 카이사르의 정부였으며 후에 마르쿠스 안토니우스의 아내가 되었다. 그녀는 부왕이 죽은 뒤 왕위에 올라 두 남동생과 아들 프톨레마이오스 15세와 함께 나라를 다스렸다. 옥타비아누스(뒤에 아우구스투스 황제가 됨)가 이끄는 로마군에게 패배한 뒤에 안토니우스와 함께 자살했고, 이집트는 로마의 지배를 받게 되었다. 매력적이며 야심만만했던 그녀는 로마의 중대한 시기에 크나큰 영향을 미쳤다. 또한 미인의 대명사로 불려 고대의 다른 어떤 여성도 얻지 못한 명성을 누렸다.

5부

대대로 도굴하며 사는 마을

'이곳은 어딜까? 천국일까?'

눈을 뜨자 그야말로 전쟁 같았던 상황은 온데간데없이 사라지고 짙푸른 나일 강만이 변함없이 흘러가고 있었다. 스키로 모래를 지치는 서걱서걱 하는 소리도, 득달같이 쫓아오던 몰자바의 병사들도, 파라파 대장과 반군들의 함성 소리도 잠잠했다.

"으으윽~."

몸을 일으키려고 하자 어깨에 심한 통증이 느껴졌다. 아마도 높이 치솟아 올랐다가 강물에 떨어지면서 어깨 부분을 심하게 부딪힌 것 같았다. 나일 강의 거센 물살에도 살아 남다니···. 온갖 악조건 속에서도 번번이 살아나는 걸 보면 운이 좋다고 해야 하나, 나쁘다고 해야 하나.

크다만파트라 공주도 신음 소리를 내며 눈을 떴다. 순간 노빈손은 엉덩이 아래에서 무언가가 심하게 요동치는 걸 느꼈다.

푸우―!

모래를 입으로 분수처럼 뿜으며 일어난 것은 쥐방울, 아니 세빌리오였다. 정신을 차린 세빌리오는 벌떡 일어나 방정맞게 깡총깡총 뛰기 시작했다.

"야호! 역시 신은 있었어. 우린 살았어. 살았다고! 구사일

생으로 이렇게 탈출에 성공하다니…. 노 형, 세상은 스스로 돕는 자를 돕는다더니 역시 옛 어른들 말씀이 틀리진 않아, 그치?"

감격에 겨워 정신없이 떠들고 있는 세빌리오를 보자 노빈손은 은근히 울화가 치밀었다. 지금 누구 때문에 이 고생인데 살아났다고 저 호들갑이라니.

"좋아하긴 아직 일러. 아부샤르의 부하들과 몰자바 일당이 쫓아오고 있을지도 모르잖아."

파라파 대장은 어떻게 됐을까? 혹시 아부샤르의 부하들에게 잡힌 건 아닌지, 아니면 나일 강에 휩쓸려 물귀신이 되어버린 건 아닌지 걱정스러웠다.

"그래, 노빈손 말이 맞아. 힘내서 다시 길을 떠나자구."

크다만파트라는 피라미드 공사장을 빠져나오면서 옷도 많이 남루해지고, 화장도 지워졌으며, 손톱도 부러졌지만 그다지 신경 쓰는 것 같지 않았다. 예전 같으면 노빈손을 시녀 부리듯이 하면서 괴롭혔을 테지만, 지금은 의젓하게 헤카를 찾아 나서려는 걸로 보아 그녀도 어느새 철이 들어가고 있는지도 모른다. 그러나 지금 그녀의 꾀죄죄한 모습은 오히려 화려한 화장을 했을 때보다 훨씬 더 아름다워 보였다.

"그래, 이제 출발하자고."

세빌리오는 성큼성큼 앞서 나가며 두 사람을 재촉했다.

"어? 쥐방울, 넌 왜 따라오는 거야?"

땅값을 정하는 기준
나일 강은 이집트 경제의 근본을 이루는 자원이었기 때문에 땅값을 정하는 데 있어서도 중요한 기준이 되었다. 나일 강의 범람 여부와 정도에 따라 땅값이 다르게 정해졌으며, 세금도 여기에 맞게 부과되었다.

피라미드 공사장을 탈출하면 당연히 바이바이 하며 헤어질 줄 알았던 세빌리오가 오히려 앞장을 서자 노빈손은 기가 막혔다.

"왜, 아직도 우릴 괴롭힐 게 더 남았냐?"

"이거 왜 이래, 노 형. 사회의 냉대가 제2, 제3의 전과자를 만드는 거야. 한때의 사소한 실수 가지고 너무 그러지 말라고. 털어서 먼지 안 나는 사람 없는 법이야."

"털어서 먼지 안 나는 사람은 없겠지만, 너는 먼지 그 자체라고."

옥신각신하는 두 사람을 말리는 일도 지쳤는지 크다만파트라는 두 손을 내저었다.

"먼지 나니까 둘 다 앉아. 어휴~ 아무튼 둘 다 똑같다니까. 문제는 지금부터야. 우리 중 왕가의 계곡으로 가는 길을 아는 사람이 아무도 없잖아."

왕가의 계곡… 어딘지도 모를 그곳을 찾아 무작정 헤맬 수도 없는 일인데. 다들 막막한 얼굴이 되었다.

"좋은 방법이 있어. 캬아악 탁!"

노빈손은 손바닥에 걸쭉하게 침을 뱉었다.

"으윽, 더러워. 노빈손, 뭐하는 거야?"

"방향을 모를 땐 이렇게 해서 손바닥을 짝— 부딪쳐서 침 튀는 방향으로 가면 된다니까."

"노 형, 안 그래도 그렇게 봤지만 역시나 지저분하군. 파라

이집트식 비누
이집트인들은 목욕할 때 비누 대신 이집트의 호수에서 구한 진흙과 수아부라는 표백토와 재를 섞은 반죽으로 각질을 제거하고 향유로 마사지를 했다. 그런 후 몸에 금빛을 띤 황토색 기름을 발라 윤기가 흐르도록 했다.

오의 무덤이 어디 있는지는 모르지만, 파라오의 무덤이 있는 곳이라면 어디든지 가는 사람들을 내가 알아. 그 사람들한테 가서 물어 보자."

세빌리오의 말에 노빈손은 캄캄한 동굴에서 한줄기 빛을 만난 것 같았다.

"그런 사람들이 있단 말이야? 그 사람들이 대체 누군데?"

"도굴꾼들."

"뭐?"

점쟁이도 예언자도 아닌 도굴꾼이라니? 노빈손과 크다만 파트라는 미심쩍은 눈으로 세빌리오를 동시에 쳐다보았다.

"어허, 흥분하지 말라구. 그 사람들은 이집트가 처음 만들어졌을 때부터 도굴을 해왔던 사람들이야. 말하자면 긴 역사를 지닌 하나의 전문직이지. 그들은 한 번 도굴을 하고 마는 게 아니라 평생에 걸쳐 도굴을 하기도 하고, 또 대대로 자식들에게 도굴을 대물림한다구. 그 사람들은 파라오의 무덤이 있는 곳을 틀림없이 알고 있을 거야. 보물이 묻힌 곳이니까 말이야."

"그래? 그럼 그들이 있는 곳은 알아?"

"당연하지, 나만 따라오라구."

"그럼 일단 그곳으로 가보자. 이번엔 세빌리오 네가 꼭 도움이 되어 줬으면 해."

어깨에 손을 얹으며 다정하게 노빈손이 말하자 세빌리오

무덤의 부장품
파라오의 미라를 무덤에 넣을 때 평소에 쓰던 물건은 물론 음식, 장난감. 나무로 만든 하인 등 어마어마한 부장품을 함께 집어 넣었다. 이는 죽은 왕이 부활했을 때 다시 쓸 수 있도록 하기 위해서이다.

는 순간 당황했다.

"웬일이야, 노 형? 적응 안 되게…."

"별일 아냐. 손에 묻은 침 닦느라고."

으—.

왕가의 12계곡

도굴꾼 마을은 생각보다 훨씬 더 은밀한 곳에 있었다. 곁에서 보면 모래 언덕과 바위로 보였지만, 자세히 보면 크고 정교한 흙집들이 요새를 방불케 할 정도로 짜임새 있게 설계된 것을 알 수 있다.

"햐, 어느 것이 집이고 어느 것이 바위야? 집을 이렇게 위장하고 살다니 정말 놀랍다. 마치 민방위 훈련을 24시간 하는 동네 같잖아. 여길 발견하다니, 세빌리오, 너도 대단하다."

"그러게 말이야, 도굴꾼들을 결코 좋아할 수는 없지만, 여길 만든 솜씨는 칭찬할 수밖에 없겠다. 이런 곳을 어떻게 찾은 거야?"

콧대 높은 크다만파트라마저 감탄하자 세빌리오의 어깨가 으쓱해졌다.

"뭐, 사나이의 타고난 직감이라고나 할까? 누나, 나도 알

왕가의 계곡

신왕국 시대가 되자 당시의 파라오들은 도굴을 막기 위해 서쪽 강변 깊은 계곡에 그들의 안식처를 만들었다. 깎아지른 바위를 잘라내어 만든 거대한 파라오의 무덤들로서 투트모세 3세, 세티 2세, 람세스 3세 등 약 64명의 파라오 무덤이 단체로 옹기종기 모여 있다. 여기에 여왕의 무덤과 귀족의 무덤까지 합하면 수천 개에 이를 것으로 추정된다.

고 보면 예민한 사람이거든요. 하지만 이 사람들이 이렇게 사는 데는 다 이유가 있다구요."

"도굴은 도둑질이잖아. 도둑질하는 데도 이유가 있어?"

노빈손의 말에 세빌리오는 발끈했다.

"노 형은 이집트 국민들이 어떻게 살아가는지 알지도 못하면서. 돈도 못 벌고, 잘 먹지도 못하고, 제대로 된 집도 없고… 또 글을 배울 수도 없어. 주인에게는 무시당하고. 무거운 세금에, 어쩌다 수확이 적으면 맞기까지 한다고. 오직 농사에 매달려서 죽도록 일만 해야 한다니까. 그에 비해 귀족들은 상상할 수도 없는 편안한 생활을 해. 한마디로 놀고 먹는다고나 할까. 부유한 귀족 집안을 위해 작은 마을 하나가 존재하는 셈이야. 노 형, 그게 말이 된다고 생각해? 노예처럼 살아가느니 차라리 도굴을 하면서 사는 게 낫다고 생각한 거라구."

크다만파트라는 여태껏 귀족들을 위해서 노예나 농민들이 희생하는 게 당연하다고 생각하며 자라왔다. 그런데 어린 세빌리오의 말을 들으니 그들은 원하지 않는 삶을 살고 있으며, 필요 이상으로 고통받고 있을지도 모른다는 생각이 들었다. 어린 세빌리오에게도 가난과 배고픔은 잊기 어려운 고통이었을 것이다.

"다 왔어. 여기가 바로 도굴꾼 마을의 우두머리가 사는 집이에요."

147

성스러운 뱀
코브라 모습을 한 메레체케르라는 왕가의 계곡을 지키는 여신이다. 당시 왕의 무덤을 만들었던 사람들은 이 여신이 죄인이나 거짓 맹세를 한 사람을 장님으로 만들거나 죽여 버린다고 믿었다.

"세빌리오, 정말 대단하다. 도굴꾼들은 자신들의 정체를 철저하게 숨긴다고 들었는데, 어느새 우두머리의 집까지 알 아낸 거야?"

"뭐 이 정도 가지고… 어서 들어가요."

세빌리오는 대담하게 우두머리의 집으로 향했다. 아니, 더 정확하게 말하자면 집 떠났다가 오랜만에 돌아온 철없는 아 들 같은 발걸음으로 뛰어 들어갔다.

"아부지, 저 왔어요."

아부지? 그러니까 도굴꾼 마을의 우두머리는 세빌리오의 아버지?! 어쩐지 너무 당당하다 싶더니 역시… 뭔가 믿는 구 석이 있었구나. 도대체 종잡을 수 없는 녀석이라니까.

"아니, 세빌리오가 아니냐?"

집 안에서 세빌리오의 아버지로 보이는 중년의 아저씨가 맨발로 뛰어나왔다. 세빌리오 저 녀석, 그래도 자기 집에선 귀한 자식이구나. 그러나 노빈손은 다음에 벌어진 광경에 할 말을 잃었다.

"세빌리오 이 녀석, 도굴꾼 집을 털어가는 놈은 너밖에 없 을 거다. 그것도 자기 집을!"

아저씨는 무척 화난 듯 세빌리오의 뒷덜미를 잡아들었고, 세빌리오는 공중에 들려 버둥거리며 손을 내저었다.

"아부지, 이거 놓고 얘기하세요. 제가 한두 살 먹은 애도 아니고…. 게다가 며느리 될 사람도 같이 왔는데 이게 무슨

폐쇄적인 이집트 사회
이집트인들이 이승에서 가장 바라는 일은 파라 오의 총애를 받아 고위 직에 중용되는 일이었 다. 상류 계급은 폐쇄적 인 작은 사회를 형성하 여 신관, 군인, 공공 사 업의 감독관, 사법관, 정부의 방대한 일을 처 리하는 사무관 등의 고 위직을 맡아 대대로 세 습해 왔다. 그러나 파라 오의 눈에 들어 이 매력 적인 사회로 등용되는 평민은 매우 드물었다. 읽고 쓰는 능력, 연고자 등용, 귀족끼리의 혼인 등으로 인해 상류 사회 로 향하는 문은 굳게 닫 혀 있었다.

망신이람."

"뭐? 며느리?"

며느리라는 말에 눈이 휘둥그레진 아저씨는 그제야 세빌
리오를 내려놓았다.

"오~ 얘가 우리 며느리 될 애냐? 아빠 닮아서 눈은 높아
가지고. 야, 정말 예쁘구나. 그런데 키만 좀 컸어도…."

세빌리오의 아버지는 벌써 며느리를 들인 것처럼 흥분한
목소리로 기뻐했다. 이거였구나, 세빌리오 녀석의 꿍꿍이가.
웬일로 도둑질이 아닌 일에 자기 일처럼 나선다 했더니, 어
울리지도 않게 연상의 여인 크다만파트라를 넘보다니. 둘이
어울리는 거라고는 작은 키밖에 없는데. 나이의 장벽은 둘째
치고라도 신분의 장벽이 너무나 높았다.

"아저씨는 농담도 잘하셔, 며느리는 무슨? 누나 차원을 넘
어서 세빌리오 이모뻘이네요."

노빈손의 말에 아저씨의 눈이 더욱 동그래졌다. 그러나 그
것도 순간. 세빌리오의 아버지는 곧 파— 하고 너털웃음을
터트렸다.

"내가 열다섯 살이나 연상인 세빌리오의 엄마를 처음 만난
것도 내 나이 아홉 살 때의 일이지. 세빌리오는 이제 열한 살
이니 많이 늦은 셈이구나."

크다만파트라와 노빈손은 잠시 대꾸할 말을 잃었다. 그럼
도둑질뿐 아니라 연상을 좋아하는 것도 집안 내력인 셈?

고대 이집트에도 이혼
이 있었다
빛이 있으면 그림자가
있듯이 결혼이 있으면
이혼도 있는 법. 이집트
에서 이혼은 어려운 일
이 아니었으나, 이혼하
려는 남자는 여자에게
많은 돈을 지불해야 했
다. 이집트에서는 다른
고대 국가들에 비해 여
성의 지위가 월등히 높
아서 여성도 재산권을
행사할 수 있었다.

"며늘아가 여기 앉으렴. 그 동안 이 녀석이 장가나 갈 수 있을지 걱정이 태산이었는데, 이렇게 예쁜 며느리를 데리고 오다니, 이제 내 눈에 흙이 들어가도 여한이 없다."

세빌리오의 아버지는 나이에 어울리지 않게 울먹이기까지 했다. 순식간에 도굴꾼의 며느리가 된 크다만 파트라는 어쩔 줄 몰라 노빈손에게 구원을 요청하는 눈빛을 보냈다.

"아저씨, 그게 아니고요. 크다만 콩트라는 공… 아니, 그러니까 저와 함께 여행을 하는 친구예요. 저런 쥐방울만한 어린 녀석이랑 결혼이라뇨? 말도 안 돼요."

"쟨 누구냐?"

"저 머리 큰 형은 신경 쓰지 마세요. 뭐 한때는 삼각 관계였지만, 누나가 결국 절 좋아하게 되니까 질투를 해서 그러는 거라구요."

"음, 생김새로 보아 여자애들이 좋아할 얼굴은 아니구나. 적어도 우리 세빌리오 정도는 되어야지."

세빌리오의 아버지는 노빈손의 두 손을 꼭 쥐며 말했다.

"그래도 좌절하지 마라. 인생에서 외모가 전부는 아니잖냐?"

할아버지뻘 노인과 결혼한 투탕카멘의 미망인 안케세나멘
투탕카멘이 일찍 죽자 젊은 나이에 미망인이 된 안케세나멘은 히타이트 왕에게 편지를 보내어, 당신의 아들을 한 명 보내 주면 결혼해서 왕의 가계를 이어가겠다고 말한다. 히타이트의 왕은 그녀의 요청을 받아들여 왕자를 한 명 보내지만 그녀의 계획을 반대하는 사람들에 의해 왕자는 국경을 넘지도 못하고 살해당하고 만다. 결국 그녀는 자신의 할아버지뻘인 재상 아이와 결혼하게 된다.

크다만파트라는 더 이상 이 사태를 내버려둘 수 없다고 생각했는지 직접 나서기로 했다.

"아저씨, 전 앞으로 3일 후면 결혼을 해야 해요, 그것도 할아버지 나이쯤 되는 노인이랑."

"아니, 왜 그런… 취향도 참 특이하구나."

"제가 원해서 하는 결혼이 아니에요. 아저씨가 절 도와주시면 그 결혼을 안 할 수도 있어요. 혹시 왕들의 무덤이 있는 왕가의 계곡이 어디 있는지 알고 계시면 알려 주세요. 부탁드립니다."

"아부지, 알려 주세요. 혹시 또 알아요. 누나가 정말 며느리가 될지?"

"그럼 그것도 거짓말이었던 거냐? 그럼 그렇지…. 그래도 사람 일이란 앞으로 어떻게 될지 모르는 거다. 안 그러냐, 며늘아가. 어디 기억을 더듬어 보자."

한참 동안 눈을 감고 생각에 잠겨 있던 아저씨가 눈을 떴다.

"그곳에 들어가기 위해서는 많은 장애물을 통과해야 한다. 그 장애물들은 정해진 것들이 아니라 수시로 변화하는 것들이라, 예측하기가 힘들어. 양쪽 벽의 간격이 점점 좁아지는 것이 있는가 하면, 한쪽 벽에서 독침이 쏟아지기도 하고, 또 바닥에 수많은 뱀들이 우글거리기도 한단다. 그곳에 갔던 도굴꾼들의 이야기를 종합해 보면 그들이 만났던 장애물이 전부 다 다르다는 걸 알 수 있지. 그게 이상하단 말이야. 지금까지 누구도 그곳에 들어가 본 사람이 없단다. 아무리 생각해 봐도 거기에는 안 가는 것이 좋겠어."

누구도 예측할 수 없는 장벽으로 둘러싸인 곳, 그리고 누구도 허락하지 않았던 왕가의 계곡. 과연 그곳은 노빈손 일행을 허락할까?

세빌리오의 아버지는 좀 엉뚱하시긴 하지만, 자상한 면이 많은 분이었다. 길을 떠나는 노빈손과 공주를 위해 도시락이 담긴 피크닉 가방을 준비해 주시고, 또 마을 입구까지 나와 배웅을 하며 안 보일 때까지 손을 흔들어 주셨다. 물론 친절한 인사도 잊지 않으셨다.

"세빌리오, 넌 사고 치지 말고. 빈손아, 앞으론 빈 손으로

미라 손가락 싸개
고대 이집트에서는 미라가 되어 영생을 누리는 사람이 손발의 기능을 잃어버리지 않도록 종이처럼 얇은 금을 둥글게 말아서 장갑처럼 손발에 씌워 보호했다. 그러다가 후에는 금으로 손가락, 발가락 싸개를 하나하나 따로 만들어 씌웠다.

오지 마라. 며늘아가, 씨암탉 잡아 놓고 기다리고 있으마. 몸 조심해서 다녀와라, 애들아~."

물 위를 도는 나침반

완만한 대지에 자리잡은 12개의 봉우리는 이시스 여신의 넓은 가슴에 잠든 12명의 파라오를 떠올리게 할 만큼 평화롭고 또 위엄이 있어 감히 접근할 수 없는 분위기를 지니고 있었다. 그리고 어쩌다 사막에 바람이라도 불면 계곡에 쌓인 먼지들이 안개처럼 부스스 피어나 신비감을 더했다.

"이게 바로 12개의 봉우리야. 왕가의 계곡이라고 하지. 아버지가 말씀하신 데가 바로 여긴가봐."

"이 파피루스에 의하면 세 번째 아들이 통곡한다고 했으니, 적힌 대로 세 번째 봉우리로 가보자."

12개의 봉우리는 얼핏 보면 그냥 평범한 산처럼 보였지만, 자세히 살펴보면 평범한 겉모습과는 달리 조그만 문이 외부를 향해 만들어져 있었다.

"노 형, 여기 입구가 있어!"

세빌리오가 신나서 그곳으로 들어가려는데 갑자기 노빈손이 외쳤다.

"잠깐, 여기도 입구가 있어."

왕비들의 계곡
왕들이 묻히는 계곡이 있듯이 왕비들만 묻히는 계곡도 있다. 상 이집트의 테베 서쪽에 있는 골짜기에는 제18, 19, 20왕조의 왕비와 왕자들이 묻혀 있다.

크다만파트라도 역시 또 다른 입구를 찾아서 막 문을 열려던 찰나였다.

"뭐? 여기에도 입구가 있는데…."

세 사람은 고민에 빠졌다. 무덤을 빙 둘러보며 잘 살펴보니 문은 모두 네 개나 있었다. 그래서 다들 다른 함정에 당했던 거구나. 노빈손 일행은 아저씨의 말이 이제야 이해되었다.

"이것 봐. 세 번째 봉우리로 들어가는 문이 모두 네 개야. 과연 어떤 문이 진짜 문일까?"

파라오의 무덤에서 한 개의 문을 제외한 나머지 문은 함정이 설치된 가짜 문이라는 건 이집트의 코흘리개 아이들도 알고 있는 상식이다.

네 개의 문, 그 문을 선택할 수 있는 기회는 단 한 번. 만약 그 선택이 잘못된 것이라면 파라오의 무덤에 장치된 함정에 의해 영원히 죽음의 세계에 갇히게 될지도 모를 일이다.

"내가 찍을게. 이래봬도 내가 찍기 실력으로 명성이 자자한 사람이라고."

세빌리오가 촐랑거리며 나서서 문의 손잡이를 돌리려는 걸 크다만파트라가 막았다.

"이건 연필 굴리기로 해결할 일이 아니야. 할 수 없지, 내가 미인계를 써서 문을 열어 볼게."

"어휴~ 내가 싫으니 죽지. 잘 생각해 보자고. 문은 네 개고, 모두 다른 방향을 가리키고 있어. 잠깐, 문이 네 개라는 건… 혹시 이 문들이 각각 동서남북을 가리키는 건 아닐까?"

"맞다! 네 개의 문이 가리키는 건 네 개의 방위였어. 파라 오들은 무덤 안에 현실 세계를 완벽하게 만들어 놓으려 했으니 들어가는 입구의 방위를 정확히 계산하는 건 기본이겠지."

"그럼 남향 집이 좋다고 했으니 문은 남쪽으로 나 있겠네? 우리 모두 남문으로 들어가면 되겠다. 오, 이거 생각보다 쉽게 풀리는걸."

하지만 크다만파트라가 세빌리오의 호들갑을 막았다.

"잠깐만, 그건 일반적인 집일 경우이고 무덤은 달라."

"맞아. 무덤은 대개 서쪽으로 향해 있다고 나도 책에서 읽은 적이 있어. 모든 사원은 입구가 동쪽, 무덤은 서쪽으로 되어 있지. 서쪽은 사후 세계를 상징하거든."

"그럼 서쪽을 찾으면 그 문이 정답이네?"

"간단하네. 해가 지기만 기다리면 되잖아. 해는 서쪽으로 지니까."

"결혼식이 코앞에 다가왔는데 입구에서 들어가지도 못하고 해가 질 때까지 기다려야 하다니…."

크다만파트라의 눈엔 초조함이 가득했다. 자, 그럼 외부 세계에서 온 노빈손의 깜짝 마술을 한번 보여 줄까?

"그건 걱정 마. 나는 이럴 줄 알고 항상 나침반을 가지고 다니니까."

이집트인도 장기를 두었다?

세네트(Senet)는 고대 이집트인이 즐겨 하던 실내 놀이로, 방식은 윷놀이와 비슷하다. 네페르타리 왕비의 무덤엔 그녀가 말판 놀이인 세네트를 하는 매력적인 모습이 채색화로 그려져 있다. 세네트라는 단어의 뜻은 '지나가다, 통과하다' 이지만, 이집트 상형문자로서의 모양은 '견디다, 참다' 라는 뜻으로도 읽힌다. 아마도 바둑처럼 지루하게 오래 경기를 해야 했나 보다.

노빈손이 배낭을 열어 나침반을 찾았으나 산산이 부서져 있었다.

"휴, 어쩌지… 모래 폭풍에 휘말려 떨어질 때 나침반이 부서졌나봐. 이제 무슨 수로 서쪽 입구를 찾지?"

노빈손은 부서져서 바늘만 남고 형체를 알아볼 수 없는 나침반을 들여다보며 사뭇 고민에 빠졌다. 맞아, 바로 그거야! 노빈손이 갑자기 벌떡 일어섰다.

"잠깐, 바늘만 남은 나침반으로 서쪽을 찾아내려면…."

노빈손은 고장난 나침반에서 N극과 S극이 표시된 바늘을 떼어내 잎사귀 위에 얹었다.

"노빈손, 뭐하는 거야?"

노빈손은 고장난 나침반 바늘을 잎사귀 위에 담아 물 위에 띄웠다. 그러자 잎사귀는 물 위에서 빙글빙글 돌더니 한 방향을 가리키며 멈춰 섰다. 크다만파트라와 세빌리오는 영문을 몰라 노빈손과 물 위에 뜬 잎사귀만 번갈아 쳐다보았다.

"자, 자석의 N극이 가리키는 쪽이 북쪽이야. 그러니까… 서쪽은 바로 저기야."

가죽 샌들을 신은 파라오
평소엔 거의 신발을 신지 않는 이집트인들도 죽어서는 꼭 샌들을 신었다. 이는 죽은 이를 걸어다니게 하려는 배려에서 생겨난 것으로, 가죽 샌들은 이집트 상류층 장례 의식의 필수 품목이었다. 이 샌들은 좌우 구분도 남녀의 차이도 없었다. 그러나 사제들은 가죽이 아닌 파피루스로 샌들을 만들어 신었다.

죽은 자를 위한 의식

드르르 쿵 ──.

묵직한 소리와 함께 문이 열렸다. 오랜 시간 동안 긴 잠에 빠져 있던 무덤의 내부는 짙은 어둠과 먼지, 그리고 역사를 간직한 신성한 곳에서만 느낄 수 있는 성스러운 냄새로 가득 차 있었다. 사람의 출입을 철통같이 막은 파라오의 무덤이지만, 이 깊은 곳까지 어떻게 들어왔는지 구석구석에 흰 털실로 휘감듯 거미줄이 두껍게 널려 있었다.

노빈손 일행은 왕의 이름이 새겨진 석상을 지나 상형문자가 아름답게 새겨진 문 앞에 도착했다. 막다른 길이었다. 하지만 어느 곳에서도 절대 헤카에 관한 힌트를 찾을 수는 없었다.

"다들 흩어져서 찾아보자."

까아악─. 신전의 오래된 침묵이 크다만파트라의 비명 소리로 깨졌다.

"깜짝이야, 아무튼 저 비명 소리에 내가 제 명에 못 죽지 싶다. 무슨 일인데 그래?"

"저… 저기 봐, 미라야."

"미라는 늘 보고 지내는 거면서, 새삼스럽게 왜 그래?"

노빈손은 대수롭지 않다는 듯 말했다.

"그게 아니라 저 시체를 잘 봐."

크다만파트라가 가리킨 곳에는 오래되어 삭을 대로 삭아, 그야말로 뼈만 앙상하게 남은 시체가 바닥에 뒹굴고 있었다. 시체는 서둘러 미라 처리를 했는지 팔다리를 곧게 펴지도 못

클레오파트라의 바늘, 오벨리스크

'클레오파트라의 바늘' 이라는 별명을 가지고 있는 오벨리스크는 사면체의 똑바로 서 있는 돌기둥으로, 위로 올라갈수록 점점 가늘어진다. 그러다가 꼭대기에 이르러서는 '파라미디온' 이라고 불리는 작은 피라미드가 얹혀져 있는 형태이다. 그리스 사람들이 이집트를 정복했을 때 '오벨리스코스' 라는 이름을 붙인 것에서 유래됐다. '오벨리스코스' 는 실제로 '작은 꼬챙이' 라는 뜻을 가지고 있다.

한 채 엉거주춤한 자세로 쓰러져 있었다. 게다가 해골과 몸에는 구멍이 숭숭 뚫렸다고밖에 표현할 수 없는 상처들이 곳곳에 나 있었다.

"저 상처들 좀 봐. 누군가가 공격한 후 그걸 감추기 위해 성급히 미라로 만든 게 틀림없어."

크다만파트라는 죽은 이가 당했을 끔찍한 일들이 머릿속에 떠올랐는지 노빈손의 어깨에 얼굴을 묻었다. 세빌리오는 시신을 자세히 살폈다.

"와, 이렇게 큰 상처들을 보면 적어도 두 사람 이상이 덤빈 게 틀림없어. 상처 모양을 보니 도끼, 몽둥이, 창처럼 큰 무기로 공격당했나봐."

유서 깊은 도굴꾼 가문의 외아들답게 세빌리오는 시체를 세심히 관찰하며 말했다. 노빈손은 처음엔 눈을 질끈 감고 있다가 겨우 눈을 들어 죽은 이를 바라보았다. 시체는 너무도 오래되어 미라라기보다 말라 버린 나무 줄기처럼 가늘고 메말라 있어, 전에 사람이었을 거라는 상상이 되지 않을 정도였다. 시체는 아마도 살아 생전에 어떤 끔찍한 일을 겪고 지금 이 자리에 있는 듯했다.

'그래서 파피루스에서 세 번째 아들이 통곡한다고 했구나. 이렇게 억울한 죽음을 당해 비명횡사하다니….'

누군가에 의해 갑작스런 죽음을 당했을 이 영혼은 지금쯤 무엇을 하고 있을까? 혹시나 상처로 남루해진 몸을 이끌고

이집트 미술의 재료
고대 이집트 회화에 쓰인 주요 안료는 대추야자의 적색, 황토의 황색, 감청석의 청색, 공작석의 녹색, 그을음의 흑색, 백악이나 석고의 백색 등이었고, 그것을 아교·수지·달걀 흰자 등에 개어서 사용했다.

어딘가를 떠돌고 있는 건 아닐까?

"저 시체 말이야, 우리가 다시 제를 지내 주는 게 어떨까?"

노빈손이 진심으로 우러나는 마음에서 제의하자 세빌리오는 황당하다는 표정을 지었다.

"노 형, 지금 이 상황에서 무슨 제를 지내? 정신이 있는 거유, 없는 거유? 지금 누나가 늙은이랑 결혼하느냐 마느냐 하는 긴박한 상황인데."

"그냥, 난… 어쨌든 저렇게 나뒹굴고 있는 시체를 모른 척하기엔 인간적으로 좀 마음이 아파서 말이야."

노빈손의 말을 듣고 크다만파트라는 고개를 끄덕였다.

"그래. 이 사람에게 어떤 사연이 있는지 몰라도, 이대로 버려 두는 건 도리가 아닌 것 같아. 나도 노빈손의 의견에 동감이야. 함께 제를 지내 주자."

크다만파트라까지 얘기했지만 그래도 세빌리오는 못마땅한지 아랫입술을 쭈욱 내밀고 투덜거렸다.

"세빌리오, 싫다는 거야, 좋다는 거야?"

"누나가 좋으면 나도 좋아. 부부는 일심동체라고 하잖아. 알면서~."

낡은 무덤 속에서 조촐하지만 경건한 제가 치러졌다. 세명의 어린 제사장은 나름대로 진지한 표정이었다. 노빈손이 비상용으로 가져온 붕대로 시체를 감싸고, 없어진 한쪽 다리 대신 세빌리오가 어딘가에서 가져온 목발을 붙여 주고, 마지

투탕카멘 죽음의 의문
타살인가, 사고인가. 아홉 살에 왕위에 올라 열일곱 살 정도에 목숨을 잃은 것으로 알려진 젊은 소년왕 투탕카멘은 부검과 엑스레이 촬영 결과 위쪽 두개골 공동 안에서 조그만 뼛조각이 발견되었다. 이는 타격을 받아서 생긴 것으로 보이지만, 누가 살해를 목적으로 의도적으로 친 것인지 사고였는지는 분명하지 않다.

막으로 크다만파트라의 비단 옷으로 곱게 덮어 근처의 관으로 정성스럽게 옮겼다. 그리고 누군지도 모를 그를 위해 죽어서라도 행복한 안식을 찾기를 기도했다.

심장의 무게를 다는 진실의 깃털

"노빈손아, 노빈손아~~~."

누군가 부르는 소리에 노빈손은 잠을 깼다.

"세빌리오, 왜 불러?"

드르렁 드르렁~.

세빌리오는 대답 대신 코고는 소리를 냈다.

크다만파트라와 세빌리오 둘 다 그 동안의 여정이 피곤했는지, 깊은 잠에 빠져 있었다.

"이상하다, 꿈을 꾼 건가? 하도 꿈을 자주 꾸니까 어느 것이 꿈이고 어느 것이 현실인지도 모르겠네."

다시 잠자리에 들려는 노빈손의 귀에 또 소리가 들려왔다.

"노빈손아, 노빈손아~~~ 부르면 대답을 해라."

"누… 누구세요?"

어디선가 노빈손을 부르는 또렷한 목소리가 들려왔지만 사방을 둘러봐도 아무 모습도 보이지 않았다.

"누, 누구냐? 사람이면 나오고 귀신이면 물렀거라!"

곡하는 여자
이집트의 장례에는 직업적으로 '곡하는 여자'가 고용되었다. 고용된 여자는 눈물을 폭포처럼 흘리며 유족들의 슬픔을 부추긴다. 부자가 죽었을 때는 장례 의식이 70일이나 걸렸지만 가난한 사람이 죽으면 1~2일이면 충분했다고 한다. 또 이들은 장례 때 제사 의식을 집행하는 방에 가짜 문을 세웠는데, 죽은 자의 영혼이 이 문을 넘나들며 이승의 사람들과 접촉하고 제물이나 기도를 받아들인다고 믿었다.

귀신이 등장하는 사극을 보면 원님이 이렇게 외치면 귀신들이 공손해지던데. 하지만 이 귀신은 공손해지기는커녕 오히려 더 크게 호통을 쳤다.

"어디다 대고 반말이냐? 나와 함께 갈 시간이 됐다. 따라오너라."

뭔가에 홀린 사람처럼 노빈손은 소리를 향해 한발 한발 걸음을 옮겼다. 목소리는 벽 쪽에 난 문의 저편에서부터 들려오고 있었다. 손잡이를 비틀어 열고 들어서자 중앙에 커다란 저울이 있는 방이 나타났다.

"어서 오너라. 이곳은 진실의 방이다. 오직 진실만이 무게를 지닐 수 있는 곳이지. 너의 영혼이 얼마나 순수한지 알 수 있는 곳이기도 하다."

"진실의 방이요?"

목소리의 주인공은 커다란 모자를 쓰고 황금빛 옷과 고귀한 신분을 상징하는 홀을 들고 있는 것으로 보아 지체가 높은 사람인 듯했다. 그 옆으로 재칼의 머리와 따오기 머리를 한 두 사람이 양 옆을 호위하듯 서 있었다.

'저 재칼 인간은 말을 할까, 아니면 짐승의 소리를 낼까? 저 따오기는 날 수 있으려나?'

순간 혼자만의 생각에 빠져 있던 노빈손의 머리가 번쩍했다. 가운데 있는 높은 사람이 들고 있던 홀로 노빈손의 정수리 부분을 정확히 내리친 것이다.

부활의 권리
고고학자들에 의하면 하나의 미라를 만들기 위해 수천 미터의 붕대가 사용되었으며, 심지어 스무 겹이나 감긴 미라도 있었다고 한다. 신분에 따라 미라 제작 과정에 많은 차이가 있긴 했지만, 파라오뿐 아니라 이집트의 모든 사람들은 성별이나 신분, 재산 여부를 막론하고 미라가 될 권리를 누릴 수 있었다. 물론 당시의 기준으로 사람이 아니었던 노예는 제외하고 말이다.

"살아서나 죽어서나 엉뚱한 생각만 하는 건 똑같구나. 우린 오시리스, 토트, 아누비스이다. 진실의 깃털로 심장의 무게를 재는 신들이지. 이제부터 정신 똑바로 차려라."

"신이요? 죽긴 누가 죽어요? 게다가 내가 왜 벌써 죽어요, 아직까지 못 해본 일이 얼마나 많은데. 장가도 가야 하고, 또 날 닮은 아들도 낳아야 하고…."

"시끄럽다. 이것이 너의 심장이다. 만약 네가 거짓된 일을 많이 하거나 진실하지 못한 삶을 살았다면 심장보다 깃털이 더 무거울 것이다."

"그렇다면 다행이네요. 깃털보다 심장이 무거운 건 당연할 테니까요."

"이 깃털에는 네가 생전에 한 모든 거짓말이 담겨 있다. 자, 무게를 달아 보마."

그런데 오시리스 신이 꺼낸 깃털은 비행기 한쪽 날개라고 해도 될 법한, 세상에서 제일 커 보이는 깃털이었다.

"으헉! 아저씨, 아니 신님들. 그렇게 큰 깃털로 재는 법이 어디 있어요. 그거 깃털 맞아요?"

"당연하지. 다 네가 거짓말을 많이 한 덕분이니 차라리 널 원망하려무나."

"저, 질문이 있는데요."

"너 무지하게 말 많은 녀석이구나. 말해 봐라."

"만약 심장이 더 무거우면 어떻게 되는 건데요?"

"이 시험을 통과하면 죽은 자의 문으로 들어가 저승으로 갈 수 있지만, 만약 통과하지 못한다면 아마메트가 너의 심장을 먹어 버릴 것이다."

재칼의 머리를 한 신이 아직도 뛰고 있는 노빈손의 심장을 저울에 올려놓았다. 그러자 저울은 잠시 수평이 되는가 싶더니 깃털 쪽으로 기울었다.

"내 이럴 줄 알았다. 애들아, 아마메트에게 던져 버려라."

"아악, 살려 주세요. 저렇게 큰 깃털로 재는데 어떻게 심장이 더 무거울 수가 있겠어요. 다시 재요, 다시. 오리털이나 참새털 같은 걸로. 억울해요~."

신호가 떨어지기가 무섭게 재칼의 머리를 한 신과 따오기 머리를 한 신이 양쪽에서 노빈손을 붙잡아 금방이라도 어디로 던져 버릴 것 같은 동작을 취했다. 노빈손은 공중에 뜬 발을 버둥거리며 허우적거렸다.

"멈추시오."

어디선가 온화하면서도 단호한 목소리가 들려왔다.

"나는 이집트의 파라오 세케넨레요. 나는 왕위를 노리는 자들에게 암살당해 저승에도 가지 못하고 몇천 년 동안이나 구천을 떠돌아야 했습니다. 그런데 노빈손이 나의 육신을 챙기고 상처를 어루만져 주어 저승의 문에 들어설 수 있었습니다. 제2의 생명의 은인이기도 한 노빈손에게 은혜를 갚고 싶습니다. 그에게 다시 생명을 주십시오."

164

심장을 먹는 괴물 아마메트
이집트에선 사람이 죽으면 신의 심판을 받게 되는데, 이 때 자신의 심장이 진실의 깃털보다 가벼우면 아마메트가 심장을 먹어 버린다고 믿었다. 아마메트는 악어의 머리, 하마의 다리, 사자의 갈기를 합쳐 놓은 모습의 무시무시한 괴물이다. 아마메트에게 심장을 먹힌 사람은 영원히 구천을 떠돌게 된다고 한다.

'오늘 제를 지내 준 그 시신이 바로 저 아저씨였구나. 생전에 상당한 미남이셨네.'

세 명의 신은 머리를 맞대고 지금의 사태에 대해 상의하는 듯했다. 노빈손은 안도의 한숨을 쉬며 생각했다.

'역시 착한 일은 하고 볼 일이야.'

세 명의 신은 회의를 마치고 다시 노빈손을 바라보았다.

"좋아, 결정했다. 죽은 사람의 자비로 너에게 다시 생명을 주마. 그 대신 이제부터 착하게 살아야 한다."

말을 마친 세 명의 신은 사라지면서 중얼거렸다.

"하긴, 깃털이 좀 크긴 컸지?"

파라오의 정령이 건넨 검은 돌

"아저씨가 저희가 제를 지낸 그 파라오의 영혼이세요?"

"그래, 그렇단다. 너에게 어떻게 고맙다는 말을 해야 할지 모르겠구나. 긴 시간을 저승도 아니고 이승도 아닌 공간에서 고통받아 왔는데… 네 덕분에 이제 저승으로 갈 수 있게 됐단다. 어떻게 해서든 은혜를 갚고 싶구나. 이것은 내가 가지고 있던 보물 로제타석이다. 이 돌은 언젠가 너에게 도움이 될 테니 소중히 간직하도록 해라."

돌을 받아든 노빈손은 조그만 돌이 생각보다 무거워 무거

미라를 보면 살아 있었을 때의 모습이 보인다 미라를 조사해 보면 생전의 모습이 어떠했는지 알 수 있다. 람세스 2세는 얼굴에 점이 많았고, 람세스 3세는 아주 뚱뚱했다. 세케넨레 2세는 끔찍하게 죽었다. 머리에 상처가 많았는데 두개골을 관통한 상처도 있었고, 머리카락에는 피가 말라붙어 있었으며, 얼굴은 고통으로 일그러져 있었다. 시신은 세심한 준비 없이 팔다리를 곧게 펴지도 않은 채 급히 미라로 만들어진 듯하다.

중심을 잃고 휘청했다. 돌은 점점 더 커지더니 들고 있기도 힘들어졌고, 마침내 바윗덩어리만해져서 노빈손의 몸이 그 밑에 깔렸다.

"으악, 무거워!"

비명을 지르며 깨어나 보니 온몸이 땀으로 축축했다. 가슴을 눌렀던 묵직한 돌의 무게가 아직도 그대로 전해지는 느낌이었다. 고개를 들어 보니 세빌리오의 다리가 노빈손의 가슴에 얹어져 있었다.

"조그만 녀석이 잠버릇 한번 고약하군."

세빌리오의 발을 치워내자 그 밑에 조그만 돌멩이가 하나 있었다.

"이 돌은 또 뭐지?"

노빈손이 자세히 들여다보니 꿈속에서 봤던 바로 그 돌이었다. 꿈에서 본 돌멩이가 실제로 가슴에 얹어져 있다니. 노빈손은 크다만파트라와 세빌리오를 서둘러 깨웠다.

"제사는 같이 지냈는데 왜 노 형에게만 나타난 거야? 사람 차별하는 거야, 뭐야?"

아직 잠에서 덜 깬 세빌리오는 말은 그렇게 하면서도 노빈손의 꿈 얘기, 그리고 꿈에서 받은 돌이 현실에서 나타났다는 사실에 놀란 눈치였다. 크다만파트라 역시 심각한 표정으로 돌의 의미를 해석하려 하고 있었다.

"잘은 몰라도 이번 일로 인해 노빈손 너는 죽을 고비를 한

조각난 람세스 6세의 미라
람세스 6세의 미라는 심하게 훼손된 것으로 유명하다. 도굴꾼들이 도끼로 머리와 몸통을 난도질한 미라를 사제들이 다시 정성스럽게 염한 사실을 알 수 있다. 후에 이 미라를 조사해 보니 염이 된 시신 안에 다른 여자의 오른손과 다른 남자의 오른손 등 다른 시체에서 빼온 신체 부위가 포함되어 있었고, 왕의 목뼈가 있어야 할 곳에는 왼쪽 엉덩이뼈와 골반뼈가 있었다고 한다.

번 넘긴 것 같아. 네가 꿈에서 봤던 신들은 죽음을 심판하는 신들이야. 만약 그들이 널 끌고 갔다면 꼼짝없이 죽음의 강을 건넜을 거야. 그리고 그 돌, 꿈에 나타난 그 왕의 말대로 정말 귀중하게 쓰일지 모르니까 잘 간직해 둬."

"잠깐, 제사는 셋이 같이 지냈으니까 돌의 3분의 1은 내 거나 마찬가지 아냐? 이리 내. 나도 가질 거야."

잠이 깬 세빌리오는 돌을 자기가 갖겠다고 우기다가 안 되니까 아예 바닥에 누워 버티기 시작했다.

"난 속 좁고 고집 부리기 좋아하는 남자는 딱 질색이야."

크다만파트라의 한마디로 세빌리오는 얼른 말을 바꿨다.

"누가 뭐라 그랬어? 노 형 다 가지라고, 그 말 하려고 했지."

"이 돌멩이는 도대체 뭘까?"

노빈손은 미라가 준 이 돌멩이가 모양은 평범하지만 어딘가 범상치 않다는 생각이 들었다.

"세케넨레 파라오가 꿈에 나왔다면 뭔가 중요한 암시를 주기 위한 걸 거야."

"그런데 로제타석은 왜 로제타석이야?"

눈을 깜빡이며 묻는 노빈손에게 크다만파트라는 그것도 모르다니 한심하다는 듯한 표정으로 설명했다.

"로제타 지방에서 발견되어 그 지방 이름을 딴 거야. 일단 로제타 지방으로 가보자."

167

로제타석의 발견
1799년 나폴레옹 군대가 이집트에 원정왔을 때 로제타 부근에서 참호를 파던 프랑스군이 로제타석을 발견했다. 이 로제타석의 비밀을 해독한 사람은 프랑스의 천재 언어학자인 샹폴리옹이다. 로제타석에 새겨진 글 가운데 "요즘 젊은애들은 버르장머리가 없다"는 구절이 여러 번 나온다고 하는데, 예나 지금이나 젊은애들은….

이집트 신화 속으로 풍덩 빠져들기

죽은 자의 심장을 꺼내 무게를 재는 아누비스

이집트 탄생 신화

고대 이집트의 유물에는 어렴풋이나마 세계의 시초와 신들의 계보에 관한 기록이 남아 있다. 태초에 눈(Nun)이라고 불리는 바다가 있어 여기에서 아툼이 태어났다. 아툼은 주신 중 한 명인 태양신 라와 동일시되며, 눈은 나일 강 물이라고 추측된다.

아툼 라가 스스로의 수정 작용으로 게브, 슈, 테프누트, 누트를 낳으면서 신화가 시작된다. 이 네 명은 서로 다툰 끝에 게브는 대지가 되고, 슈와 테프누트는 공기와 증기가 되었으며, 막내 누이동생 누트는 하늘이 되었다. 그리고 게브와 누트는 부부가 되어 오시리스와 이시스라는 남매를 낳았고, 이들이 오시리스 신화의 주인공이다.

오시리스 신화

오시리스는 이시스와 함께 지상에 내려와 인간에게 문명을 가르치고 지상의 왕이 되지만, 동생인 세트가 형을 죽여 왕국을 빼앗고 형의 시체를 갈기갈기 찢어 전국에 뿌렸다. 이시스는 이것을 일일이 주워 모아 삼베에 싸서 숨을 불어넣어 부활시켰다. 이것이 미라 제조의 기원이 된다.

부활한 오시리스는 후에 환생을 보장하는 지하 세계의 신이

168

되고, 오시리스와 이시스 사이에 태어난 아들 호루스는 성
장하여 세트를 죽이고 지상의 왕이 되어 매의 모습으로 나
타난다.

자주 등장하는 주연급 신들의 신상 명세서

태양의 신, 라(Ra)

매의 머리를 한 인간의 모습. 적을 향해 덤벼드
는 코브라가 둘러싼 태양의 원반을 쓰고 있는
것이 특징. 이집트인들은 지평선을 따라 움직이
는 태양의 길을 라가 하늘을 향해 가는 것이라
고 생각했다. 석양이 지면 라는 지하 세계로 내
려간다. 그곳에는 거대한 뱀 아페프가 있어 라
를 암흑의 길로 밀어내려 하지만, 라는 언제나
승리하고 다음 날 아침 다시 떠오른다.

죽음과 부활의 신, 오시리스(Osiris)

신들 중에 사람 모습을 하고 있는 몇 안 되는 신
중 하나. 죽은 자들의 왕국을 다스리는 신으로,
갈대와 타조 깃털로 만든 왕관을 쓰고 있다. 정
의롭고 선한 신으로 모든 이집트인들로부터 존
경받는다. 인간에게 농사짓는 법을 가르쳐 주었
다.

오시리스의 아내이자 사랑의 신, 이시스(Isis)

여성과 아이들을 돌보는 여신. 비와 같은 자연

현상을 통제하고, 계절을 지배하며, 비옥한 땅을 만들어 백성들을 풍요롭게 해주는 능력을 지녔다. 지배력과 사랑의 힘에 대한 권위를 나타내는 계단 모양의 왕관을 머리에 쓰고 있는데, 가끔은 기분 전환으로 암소의 뿔과 달의 원반으로 장식한 머리 장식을 쓰고 등장하기도 한다.

악의 신, 오리시스의 적 세트(Seth)

사냥개의 귀와 뾰족한 주둥이를 가진 세트는 상상 속의 동물 모양을 하고 있다. 세트는 악의 신인 동시에 폭풍과 무질서의 신이기도 하다.

Seth

오시리스의 아들, 호루스(Horus)

일종의 태양신의 명칭. 매의 머리를 하고 있으며 왕권을 상징하는 중요한 신이다.

▶ 태양신 '라'처럼 호루스 역시 매의 머리를 하고 있지만 왕권을 나타내는 왕관을 쓰고 있는 것이 특징임. 저승에서 죽은 자들의 영혼의 무게를 재는 일을 감독하기도 한다.

Horus

지식과 지혜와 정의의 신, 토트(Thoth)

따오기 머리를 가진 지혜의 신.(지혜의 신이 새머리라니…) 말과 글을 발명했으며, 서기관들과 마술사들의 수호자이다. 언어와 글, 과학과 예술, 의학, 마법, 수학, 천문학, 점성술, 그리고 알려지거나 알려지지 않은 모든 지식을 창조했다. 죽은 자들의 영혼의 무게를 재고 심판의 결과를 꼼꼼하게 기록해 두는 신이다.

Thoth

Anubis

죽은 자를 인도하는 신, 아누비스(Anubis)

시체 방부 처리와 미라 만드는 일을 주관하는 신이다. 귀를 쫑긋 세우고 날카로운 눈을 번뜩이는 재칼의 머리를 한 남자의 모습을 하고 있다.

샹폴리옹 아저씨에게 배우는 이집트 문자

나도 이집트 상형문자를 쓸 수 있다!

🙂 **샹폴리옹 >** 뭐, 이집트 상형문자 읽는 법을 알고 싶다고?

🙂 **노빈손 >** 네. 천하의 노빈손이 언제까지나 문맹이라는 소리를 들을 순 없잖아요. 이래봬도 제가 책 읽는 걸 얼마나 좋아한다구요.

🙂 **샹폴리옹 >** 한글의 이름이 훈민정음인 것처럼 이집트 글자도 이름이 있단다.

🙂 **노빈손 >** 그게 뭔데요?

🙂 **샹폴리옹 >** '히에로클리프' 라고 신들의 언어라는 뜻이지.

🙂 **노빈손 >** 어째 거창한 이름이네요. 그럼 신들만 그 글을 썼나요?

🙂 **샹폴리옹 >** 신관들만 글자를 썼으니 그런 셈인가? 하여튼 이 상형문자는 아주 복잡하기 때문에 이집트 학생들도 몇 년씩 열심히 배워야 간신히 졸업할 수 있었지. 하긴 내가 이 로제타석을 해독하는 데만도 23년이나 걸렸으니….

🙂 **노빈손 >** 로제타석이요?

🙂 **샹폴리옹 >** 이집트 문자 해독에 결정적인 계기가 된 아주 귀중한 돌이지. 로제타석에 새겨진 내용은 기원전 196년 프톨레마이오스 5세를 찬양하는 내용으로, 그리스어와 이집트 상형문자 2개 국어로 새겨져 있어. 나는 이집트 상형문자의 발음이 그리스어와 비슷한 것으로 가정하고, 프톨레마

로제타석

상형문자	뜻 / 발음	상형문자	뜻 / 발음	상형문자	뜻 / 발음
	독수리 a		물 n		수조 ch
	갈대 i		입 r		언덕 q
	팔 â		집 h		바구니 k
	병아리 w		끈 ch		단지 g
	다리 b		채 kh		빵 t
	걸상 p		암짐승의 배 kh		쇠고랑 th
	독사 f		빗장 z		손 d
	부엉이 m		옷 s		뱀 dj

이오스와 클레오파트라 양쪽 이름에서 발음을 나타내는 세 개의 심벌 p, o, l의 음을 확인했지. 또 t를 나타내는 두 개의 다른 기호는 영어의 f와 ph처럼 모양은 다르지만 소리는 같다는 결론을 얻었고, 계속 연구한 끝에 알렉산더라는 상형문자도 해독했단다.

노빈손 〉 와아~!

샹폴리옹 〉 뭐 별것 아니야. 얘기 안 했었나? 내가 열한 살 때 헤브라이어, 열두 살 때 아랍어·시리아어·칼디어를 마스터한 언어 천재라고.

노빈손 〉 저랑 비슷하시네요. 남들이 절 잔머리의 천재라고 부르는데. 음하하하! 그러면 이집트 상형문자는 알파벳처럼 하나하나의 그림만 외우면 되는 건가요?

샹폴리옹 〉 그게 그렇게 간단하진 않아. 어떤 건 상형문자 하나가 문자 하나를 뜻할 때도 있고, 한 낱말을 뜻할 때도 있으니까.

노빈손 〉 으~ 어째 아저씨 설명을 들으니 더 헷갈리는 것 같아요.

샹폴리옹 〉 생각했던 대로 머리가 그리 좋은 편은 안 되는구나. 잘 들어 봐. 두 번 얘기 안 할 테니까. 음, 여기 신이라는 뜻의 상형문자 옆에 오리 그림이 있어. 이 오리는 이집트 상형문자로 '아들' 이라는 뜻이지. 따라서 상형문자의 뜻은 '신의 오리' 가 아니라 '신의 아들' 이라는 뜻이라고.

노빈손 〉 그럼 제 이름은 Nobinson이니까 이렇게 되나요?

샹폴리옹 〉 웬일이냐? 생각보다 빨리 깨우치는구나. 이름의 경우 남자 이름 뒤에는 남자 그림, 여자 이름 뒤에는 여자 그림이 들어간단다.

노빈손 〉 이 정도야 기본이죠. 이제 크다만파트라에게 잘난 척할 수 있겠다. 아이고, 흐뭇해. 역시 배우는 즐거움이 제일 크다니까.

샹폴리옹 〉 소박한 녀석. 그런 잘난 척이라면 난 일 년이 366일이어도 모자랄 거다. 하지만 나도 이집트 문자를 완벽하게 해독한 건 아니란다. 카르투슈나 모음 기호를 어떻게 읽었는지 밝혀 내지 못했지. 내 평생의 한이다, 한.

노빈손 〉 언어 천재인 아저씨도 모르는 게 있다니. 그래도 아저씨 덕분에 우리가 이집트 역사와 문화를 많이 배울 수 있었으니까 이제 나머지 연구는 후손들에게 맡기세요.

샹폴리옹 〉 네가 그런 소리를 다 할 줄 알고…. 하여튼 고맙구나. 한번 기대해 보마!

노빈손 〉 제가 있으니까 걱정 마세요. 저도 천재라니까 그러시네.

샹폴리옹 〉 이그~ 널 보니 다시 걱정된다.

샹폴리옹(1790~1832)

프랑스의 역사가이자 언어학자. 이집트학 연구의 체계를 확립했고, 이집트 상형문자를 해독하는 데 중요한 역할을 했다.

16세 때 이미 라틴어와 그리스어뿐만 아니라 6개의 고대 동양 언어에 통달했다. 19세 때 그르노블 고등학교의 역사 교사가 되었다. 1808년 로제타석(石)의 사본을 구해 상형문자 해독에 착수, 카르투슈 가운데의 상형문자는 알파벳의 성격을 띤 것이라고 주장했다. 그 후 피레 섬의 오벨리스크에 새겨진 내용과 로제타석의 내용을 비교·대조하여 해독하는 데 성공하였다.

6부

불 속에서 피어난 글씨

세 사람은 나일 강을 따라 펠루카를 타고 로제타 지역에 도착했지만 그곳은 의외로 황량한 사막 지대였다.

어느새 해는 뉘엿뉘엿 기울어 사막은 낮과는 또 다른 풍경을 만들어 내고 있었다. 완만한 모래 언덕은 두꺼운 솜이불을 펼쳐 놓은 듯했고, 모래 언덕의 그림자가 길어져 거대한 올록볼록 엠보싱 화장지 위를 걷는 느낌이었다.

하지만 사막에서 추위에 떨게 되리라고 누가 상상이나 했을까? 해가 지고 나니 기온이 급격히 떨어지기 시작해서 이가 딱딱 부딪칠 만큼 싸늘해졌다. 밤의 사막은 여러 가지 면에서 낮과는 전혀 다른 공간으로 변했다. 밤의 사막은 오징어먹물을 풀어 놓은 것처럼 사방이 온통 암흑 그 자체였다. 눈을 감아도 떠도 똑같이 한치 앞도 내다볼 수 없을 정도였다.

"밤이 되니까 상당히 춥다."

한기를 느낀 크다만파트라가 몸을 비비며 얘기하자 세빌리오가 얼른 짐을 뒤적였다.

"진작 얘기하지, 누나. 조금만 기다려."

세빌리오는 짐 꾸러미에서 뭘 꺼내려는지 한참을 뒤적거리다가 짠~ 하고 꺼냈다.

"자, 여기 있어."

"이게 뭐야?"

생명의 땅, 사막
사막은 강수량에 비해 증발량이 많아 식물이 거의 자랄 수 없는 불모의 땅이다. 하지만 이러한 사막을 자세히 살펴보면 낙타나 사막 여우, 토끼, 악어, 돼지, 전갈, 거북, 방울뱀, 고양이, 아까시나무, 유카, 대추야자, 마황, 쑥, 떨기나무, 선인장 등 생명력이 강한 특별한 동식물들이 생생하게 살아 숨쉬고 있는 생명의 땅이기도 하다.

"낙타 똥."

세빌리오가 내민 두 손에는 언제 준비했는지 바싹 말린 검은 덩어리가 수북이 쌓여 있었다.

"워이 워이~ 저리 치워, 더럽게. 난 비위가 약하단 말이야."

크다만파트라가 손으로 코를 쥐어 막으며 고개를 돌렸다.

"더럽긴, 말린 낙타 똥은 유목민들이 사막을 지날 때 귀중하게 쓰이는 연료라고. 세빌리오, 언제 이런 걸 준비했어? 어리지만 의외로 세심한 구석이 있네."

"아까 낮에 잠깐 마주친 유목민한테 훔쳤어."

어휴, 그럼 그렇지!

"그러다가 피라미드 공사장에 또 끌려가고 싶어? 남의 물건에 손대는 건 나쁜 짓이란 걸 알잖아."

"알아. 그렇지만 이젠 습관이 되어 버렸는걸. 누나가 싫다면 고쳐 보도록 노력은 해볼게. 하지만 세 살 버릇 여든까지 간다는 말도 있잖아. 여든 살까지만 좀 봐줘."

세 사람은 낙타 똥과 주변의 탈 만한 것들을 전부 모아 불을 지피고는 세빌리오의 아버지가 챙겨 주신 도시락을 데워 먹었다.

"똥으로 데운 밥을 먹다니… 이러면 피부 미용에 안 좋을 텐데."

크다만파트라는 혹시 밥에서도 냄새가 나는 건 아닌지 킁킁 냄새를 맡았다.

"밥 먹는 데 똥 얘기 하지 마. 내 비위까지 상하려 하잖아."

"노 형."

세빌리오가 중요한 할 말이 있는 것처럼 한참을 뜸들이더니 말했다.

"그러지 말고 우리랑 같이 이집트에서 살지 그래?"

"무슨 소리야, 난 반드시 돌아갈 거라구. 오락기도 없고 텔레비전도 없고, 결정적으로 만화책도 없는 이런 곳에서 계속 살 수는 없어."

"쳇, 누가 형 같은 사람을 이집트에서 받아 주기나 한대."

톡 쏘는 말을 내뱉고 세빌리오가 획— 돌아누웠다.

축 번영 신장개업, 세계 최초의 빵집
빵의 역사는 기원전 3000년경 시작되었다. 이집트에서 세계 최초로 제과점이 문을 연 것이다. 그렇다고 이집트 이전에 빵이 전혀 없었던 것은 아니다. 인류 최초의 빵은 석기 시대에 채취한 밀알을 돌로 으깨고 밀어서 달구어진 돌 위에 얹어 구워 먹은 것이다. 하지만 빵의 역사에서 이집트가 최초라고 말할 수 있는 것은 효모를 이용하여 지금과 같이 회고 부푼 빵을 처음으로 만들었기 때문이다.

'내가 잘못 들었나. 왜 저 녀석이 내가 떠난다니까 서운해하는 것처럼 들리지? 설마, 아니겠지.'

드르렁 드르렁―. 돌아누운 지 얼마 되지 않아 피곤했는지 세빌리오의 코고는 소리가 들려왔다.

"노빈손, 자니?"

크다만파트라도 노빈손처럼 헤카 생각에 잠이 안 오는 모양이었다.

"아니, 왜?"

"우리가 정말 헤카를 찾을 수 있을까? 왕가의 계곡에서도 아무 힌트도 얻지 못했잖아."

"찾을 수 있을 거야. 간절히 원하는 일은 반드시 이루어진 댔어."

"불이 다 꺼져 가, 노빈손. 다시 피워야겠는걸."

부싯돌이 어디 있더라?

노빈손은 주머니를 뒤져 부싯돌을 할 만한 것을 찾았다. 주머니 속에서 파라오의 영혼이 주었던 돌멩이가 만져졌다.

"이 돌, 그러고 보니까 부싯돌이랑 비슷하게 생겼네. 어디…."

노빈손이 검은 돌멩이를 바위에 세게 부딪치자 번쩍 하고 불꽃이 일었다.

"그렇지! 잘하면 불을 피울 수도 있겠어."

재미 삼아 노빈손이 몇 번 돌멩이를 부딪치자 다른 부싯돌

이집트인의 먹을 거리
가난한 이들은 매일매일의 끼니를 빵과 양파로 연명했지만 부유한 사람들은 오이 · 상추 · 마늘 · 부추 · 갓 등 갖가지 채소와 멜론 · 무화과 · 체리 · 사과 · 배 · 대추야자 같은 과일, 그리고 양고기 · 쇠고기 · 오리고기 · 거위고기 · 염소고기 같은 육류를 한상 가득 차려 실컷 먹었다.

과는 달리 노란 불빛이 일다가 사라졌다.

"노빈손, 잠깐 멈춰 봐."

"왜?"

"돌멩이의 색깔이 변한 것 같아."

노빈손은 돌멩이로 불을 켜려고 땀을 흘리며 말했다.

"내가 볼 땐 네 얼굴색이 변했다. 크다만파트라, 졸리면 자."

"아냐, 아까 불꽃이 튀었을 때 순간적으로 돌멩이의 색깔이 황금색으로 변했어."

"뭐라고?"

어쩌면 크다만파트라의 말이 맞을지도 모른다. 평범한 돌덩이를 파라오의 영혼이 주었을 리는 없을 테니까. 그렇다면 파피루스에 써 있는 "불의 강에 네 몸을 던져라"라는 구절과 관련이 있지 않을까? 이 돌에 의미심장한 뜻이 들어 있을지도 모를 일이다. 노빈손은 곤히 잠든 세빌리오까지 깨워 남은 낙타 똥을 모두 집어넣고 커다란 불을 피웠다.

"이만 하면 됐겠지? 자, 어서 돌을 불 속에 넣어 봐."

크다만파트라는 흔들리는 불꽃 속으로 파라오의 정령이 준 돌을 정확히 집어넣었다. 처음에는 돌멩이에 아무런 변화도 일어나지 않는 듯했다. 모닥불의 불꽃은 여느 때와 똑같이 타닥타닥 소리를 내며 타고 있었다.

"노 형, 자다가 웬 봉창이냐고! 그냥 평범한 돌일 뿐인데 괜

고대 이집트에도 만화가 있었다
고대 이집트에도 만화책이 있었다는 사실! 이집트인들은 만화를 '오스토라콘'이라는 이름의 얇은 석회암 조각이나 파피루스에 그렸다. 주로 동물들을 의인화하여 표현했으며, 당시 사회상을 유머스럽게 풍자한 내용이 많다. 사자와 사슴의 장기 게임, 거위 치는 고양이, 사슴을 지키는 두 마리의 여우 등이 남아 있다.

히 소란 떨기는…."

아직도 잠에서 덜 깬 세빌리오는 볼멘소리로 투덜거렸다.

그 때였다, 아무것도 없던 평범한 돌 위에 하나둘씩 황금색 글자들이 나타나기 시작한 것은.

"어, 저, 저것 봐! 황금색 그림들이야!"

"그림이 아니라 글자라고 했잖아. 노빈손, 어서 빨리 돌을 꺼내 봐."

노빈손이 불 속의 돌멩이를 조심스럽게 끄집어 내자 불에 달구어져 뜨거울 줄 알았던 돌멩이는 의외로 얼음처럼 차가웠다. 불에서 나온 검은 돌멩이의 표면에 황금색으로 선명한 글자가 새겨져 있었다.

"빨리 읽어 봐, 누나!"

"붉은 땅의 공포의 아버지가 헤카를 지키니
아무도 헤카의 안식을 방해하지 못한다."

황금색 글자는 곧 사라지고 평범한 검은 돌이 다시 남았다.

"그게 다야?"

"이건 또 무슨 소리래? 갑자기 웬 아버지?"

"붉은 땅에 살고 있는 공포의 아버지가 헤카를 지키고 있다고? 음, 뭔가 의미심장한 문장인걸."

노빈손은 이 문장이 헤카를 찾을 수 있는 중요한 단서라는

파라오가 마약을?
기원전 3000년 고대 이집트에는 없었다고 여겨지던 담배와 코카인의 흔적이 파라오의 미라에서 발견되어 화제가 되고 있다. 또한 3,000년이 된 미라에서 비단이 나오기도 해, 당시 이집트는 중국을 비롯한 여러 나라와 국제 무역을 했다는 설을 뒷받침해 주고 있다. 아메리카와의 국제 무역을 통해 담배와 코카 잎이 들어왔다는 설이 지배적이다. 코카인은 남아메리카의 코카나무에서만 나는 마약이기 때문이다.

느낌이 들었다. 그 동안 모험을 하면서 발달한 탁월한 육감이랄까….

아무 말 없이 문자를 들여다보던 크다만파트라도 여자의 육감으로 중요한 걸 찾아낸 듯했다.

"이건 알 것 같아. 검은 땅은 나일 강이 풍부한 비료를 실어다 주는 비옥한 지역을 말하는 거야. 그리고 붉은 땅은 나일 강이 범람하지 않는 척박한 사막 지대를 말하지. 사람들은 이집트를 크게 이 두 지역으로 나누거든."

그래도 여전히 의문이 풀리지 않았다.

"붉은 땅이 사막을 말한다면, 도대체 사막에 살고 있는 공포의 아버지는 누구지?"

"그러게 말이야, 힌트를 줘도 왜 이렇게 공포스런 힌트를 준대?"

"사막에 살고 있는 공포의 아버지가 어디 한둘이냐고? 요즘 세상에 엄하지 않은 아버지가 어디 있어. 우리 아버지도 알고 보면 엄하다 뭐. 차라리 사막에서 바늘을 찾으라고 하지."

세 사람은 돌멩이를 들여다보며 의문의 문자들을 풀어 보려고 애썼지만, 아무리 생각해도 여전히 풀리지 않는 수수께끼였다.

아무런 단서도 없이 '공포의 아버지'를 찾아가라니, 너무 막막했다. 헤카를 찾아 여행을 시작한 후 처음으로 대관식

184

파리채를 든 고급 관리
파라오를 위해 일했던 궁정의 고위 관리들은 신분과 지위의 상징으로 파리채를 들고 다녔다. 기린 꼬리털로 만든 이 파리채는 중앙 아프리카에서 비싸게 들여온 흑단(감나무과의 상록수로 주로 귀한 가구를 만드는 데 쓰임)으로 손잡이를 만들었고, 누비아에서 무역을 통해 들여온 코끼리 상아로 장식을 했다.

전까지 헤카를 찾지 못할 수도 있지 않을까 하는 불길한 생각이 들었다.

아부심벨 신전을 향해

사막 한쪽에서 스멀스멀 먼지 바람이 이는가 싶더니 서너 명의 사람들이 다가오고 있었다. 아니, 정확히 말하자면 못 볼 걸 본 사람들처럼 혼비백산해 죽을 힘을 다해 줄행랑을 치고 있었다.

"무슨 일이에요? 왜 다들 도망가는 거죠?"

"헉헉― 미, 미라가 되살아났어. 되살아났다고. 우리가 아부심벨 신전을 도굴하려고 하는데… 아, 아니지. 둘러보려고 하는데 갑자기 미라가 살아서 우리를 확 덮치더라구. 미라의 저주가 시작됐어. 세, 세상은 이제 말세야, 말세!"

말을 마친 아저씨는 허겁지겁 서둘러 도망쳤다.

"저 아저씨, 무슨 말을 하는 거야? 미라의 저주는 피라미드 속에서 잠자고 있던 곰팡이 포자 때문이라고 밝혀진 게 언젠데 말이야. 역시 아는 것이 힘이라니까. 가만, 그런데 저 아저씨, 신전의 미라가 살아났다고 했지?"

"바로 그거야, 아부심벨 신전!"

"아부심벨이 뭐 어떻다고?"

미라는 영어가 아닌 아랍어
미라는 아랍어로 역청이라는 뜻이다. 그 이유는 미라를 처음 발견한 사람들이 아랍인이었으며, 그들은 미라 표면에 역청을 발랐다고 생각했기 때문이다. 역청은 타르 비슷한 물질로 당시 귀한 약으로 쓰였다. 미라는 영어로 mummy이며 발음은 '머미(엄마)'에 가깝지만, 실제로 엄마와는 아무 관계도 없다.

"어릴 때 할머니한테 들은 기억이 나. 이집트 사람들은 일이 잘 풀리지 않거나 문제가 생기면 신들에게 도움을 청했대. 그러면 신들이 지혜를 빌려 줘서 문제를 해결했다는 거야. 그러니까 우리도 아부심벨 신전으로 가서 신탁을 받아 보도록 하자."

"무슨 소리야? 지금은 21세기라구. 우주선으로 목성을 탐사하고, 인간의 유전자에 대한 비밀이 밝혀진 이 시대에 신들에게 물어 본다는 게 말이 된다고 생각해? 내가 아무리 이렇게 시대에 뒤떨어지는 이집트 옷을 입고 있어도, 나는 나름대로 과학적인 걸 좋아하는 사람이라구."

아무리 헤카를 찾기 어려워도 그렇지, 신탁이라는 미신적인 것에 의지해서 문제를 풀려는 이집트 사람들을 노빈손은 이해하기 어려웠다.

"그렇다면 한 가지만 대답해 줘. 지금까지 노빈손에게 일어난 일들은 과학적으로 설명할 수 있는 일들이야?"

노빈손은 할 말을 잃었다.

"그건…."

대답을 못 하고 우물쭈물하고 있는 노빈손을 두고, 어느새 크다만파트라는 저만큼 앞서 가고 있었다.

"쟤 분위기가 많이 달라진 것 같지 않아? 언제 저렇게 터프해졌지?"

"터프하니까 더 멋있다. 누나, 같이 가."

미라의 다양한 쓰임새
영국의 찰스 2세는 미라에서 나온 가루를 온몸에 바르면 위대한 고대의 영혼이 자신에게 스며든다고 생각해 미라를 수집했다. 또 16세기의 서양 화가들은 물감에 미라를 갈아 만든 가루를 넣으면 그림이 마를 때 갈라지지 않는다고 생각했다. 19세기 미국에서는 미라를 수입해 그 붕대로 종이를 만들었으며, 미라의 붕대를 풀어서 땔감 대신 사용하기도 했다.

저 녀석에게 물어 본 내가 잘못이지. 세빌리오의 눈엔 모르긴 몰라도 슈퍼 울트라 초대형 콩깍지가 씌워진 게 분명했다. 물론 어떤 이들은 이를 러—브라고도 하지만.

되살아난 미라의 저주

저 멀리 사막의 모래 바람 속에 아부심벨 신전이 보였다. 주변에 큰 산도 강도 없는 완전한 황무지 속에 신전은 화려하면서도 웅장한 자태를 드러내고 있었다. 신전 외부를 장식한 거대한 람세스 석상의 발 아래 만들어진 조그만 석상들도 노

빈손보다 키가 컸다. 저렇게 거대한 석상을 지은 파라오의 지위는 어느 정도 높은 것이었을까? 노빈손은 끝을 가늠하기 힘들 정도로 거대한 석상을 올려다보며 파라오의 권위에 새삼 놀랐다.

노빈손 일행이 신전의 내실에 막 들어서서 둘러보고 있을 때 구석에 세워져 있는 관이 들썩거리는 것이 보였다.

달그락—.

"저, 저기 봐. 미… 미라가…"

놀라운 일을 하도 많이 당해서 이제 웬만한 일에는 끄떡도 하지 않으리라 생각했는데, 막상 달그락거리는 관을 보자 온 몸에 한기가 돌았다.

덜그럭 덜그럭—. 귀신이 들러붙은 것처럼 요란한 소리를 내며 요동치는 관 뚜껑이 금방이라도 튕겨져 올라 노빈손 일행을 향해 날아올 것 같았다.

뚝—. 요동을 치던 소리가 멈추는가 싶더니 와락— 관 뚜껑이 열리고 뭔가가 불쑥 몸을 일으켜 세웠다. 으헉—! 두 눈을 부릅뜨고 금방이라도 덮칠 듯 두 팔을 번쩍 치켜들고 점점 가까이 다가오고 있었다. 그것은 정말 살아 움직이는 미라였다.

도망치고 싶었지만, 두 발이 그 자리에 얼어붙어 꼼짝도 할 수 없었다. 높이 쳐든 팔과 금방이라도 레이저가 뿜어져 나올 것처럼 충혈된 눈을 한 미라는 한발 두발 위협적으로

미라 수출 공장
13세기에서 17세기 유럽에서는 미라가 만병통치약이라고 믿었다. 유럽으로 수출되는 미라가 너무 많아지자 이집트 정부는 16세기 말에 이르러 미라 유출을 금지했다. 그러자 이집트의 미라 판매상들은 버려진 시체를 주워다가 가짜 미라를 만들어 영업을 계속했고, 유럽에는 공장에서 만든 가짜 미라들이 판을 쳤다.

세 사람에게 다가왔다. 세 사람은 누가 먼저랄 것도 없이 눈을 질끈 감으며 자지러지듯 비명을 질러댔다.

"말숙아, 꺄아악, 엄마~."

털썩―. 뜻밖에도 미라는 세 사람을 공격하는 대신 고개를 조아리고는 바닥에 무릎을 꿇었다.

"오~ 고귀하신 분이시여."

예상치 못한 미라의 반응에 세 사람은 어안이 벙벙해졌다. 노빈손이 떨리는 손으로 미라의 머리를 감싼 붕대를 풀자, 머리가 산발이 된 늙은 노인의 얼굴이 드러났다.

"먼 길을 오셨군요. 이집트를 구할 귀하신 분이시여!"

"할아버지, 전 그냥 평범한 대학생이에요. 제가 좀 능력이 있긴 하지만. 그냥 편하게 말 놓으세요."

"너말고 이 녀석아!"

할아버지는 기다란 지팡이로 노빈손의 머리에 꽁 하고 알밤을 먹었다. 그러자 이번엔 그 모습을 보고 고소해하던 세빌리오가 촐랑거리며 나섰다.

"노 형, 한 대 맞을 줄 알았다니까. 저 부르셨어요? 제가 한때 이집트의 일지매로 이름을 날리던 세빌리오인 줄 어떻게 아시고…. 하지만 이제 저 손 씻었습니다. 사랑하는 여인 덕분에 새 삶을 찾았다고나 할까요. 그렇죠, 누나?"

한쪽 손을 뻗어 벽에 기댄 세빌리오가 우수에 찬 눈빛으로 말했다. 그러나 이번에도 할아버지의 지팡이는 세빌리오의

189

파피루스 달력
파피루스 달력에는 날짜들이 대부분 검은색으로 적혀 있다. 여기서 붉은색으로 표시한 날짜들은 공휴일이 아니라 불길한 날을 표시해 둔 것! 붉은색은 이집트인들에게 건조한 사막을 떠올리게 하여, 불운을 뜻했다.

머리에 사정없이 떨어졌다.

"너도 말고 이 녀석아."

세빌리오는 그럼 대체 누구를 보고 그러냐는 의문의 눈길로 정체불명의 할아버지를 바라보았다.

"당장 무릎을 꿇고 예를 표해라. 공주님, 이 자를 용서해 주십시오. 공주님 앞에서 이렇게 무례를 범하다니…."

"공주라니, 웬 공주? 여기 공주가 어딨어요? 여긴 노 형이랑 나랑, 누나밖에…."

세빌리오의 얼굴색이 하얗게 변했다.

"설마, 누나가?"

여태껏 크다만파트라가 공주인 걸 모르고 있던 세빌리오는 눈이 튀어나올 것처럼 휘둥그레졌다.

"아메스 제사장, 아무리 변장을 해도 역시 당신을 속이는 건 힘든 일이군요."

크다만파트라의 눈은 어느새 촉촉하게 젖어 있었다.

"공주님, 어릴 적 모습 그대로십니다. 그 빛나는 눈, 고귀한 광채까지. 그러고 보니 10년 만이군요, 공주님. 어린 공주님 혼자 몰자바 대신의 등쌀에 얼마나 고충이 심하셨을지…. 그렇게 힘든 가운데서도 정말 잘 자라 주셨습니다. 옳다고 생각하면 끝까지 밀고 나가는 의지, 총명한 눈동자에 품위까지… 정말 대견하십니다."

미라에 과세를?
현재 카이로 박물관에 있는 3,000여 년 전의 람세스 2세 미라는 고대 미라 제조자의 탁월한 솜씨를 증명하는 것으로 유명하다. 1881년 고고학자에 의해 발견되었을 당시 그 미라는 마른 피부, 이, 머리카락이 완전했다. 그러나 오랜 세월에 걸쳐 보존되어 온 이 미라는 카이로로 운반되는 도중 뜻밖의 모욕을 당했다. 술에 취한 이집트 검사관이 건어 수입품이라고 착각하여 미라에 세금을 부여한 것이다!

공포의 아버지의 정체

아메스 제사장은 크다만파트라의 아버지이자 선왕인 매너스 왕과 생사고락을 함께하던 친구이자 조력자였다. 그러나 몰 자바의 음모로 선왕인 매너스가 처참하게 살해당하고, 아메스 제사장 혼자 간신히 목숨을 건져 신분을 위장한 채 살고 있었다.

그 동안 살해된 매너스의 넋을 조금이라도 위로하기 위해 신전을 떠나지 않고 미라가 되어, 도굴꾼들로부터 신전을 지켜 왔다고 한다. 몰자바 대신은 노빈손이 생각했던 것보다 훨씬 더 악당일지도 모른다는 생각이 들었다. 이렇게 이집트 를 사랑하는 사람들을 밖으로 내몰고 있으니까.

"아메스 제사장, 우리가 이곳에 온 건 절대 헤카를 찾기 위해서예요."

"알고 있습니다. 저는 선왕이신 매너스 대왕과 함께 절대 헤카에 관한 문서들을 숨기기로 했었죠. 사악한 몰자바가 헤카를 찾기라도 하면 온 이집트는 쑥대밭이 되고 말 테니까요. 만약 공주님이 헤카를 찾으러 오신다면 언젠가 이 신전으로 꼭 오실 거라고 믿고 기다리고 있었습니다."

아메스 제사장은 품안에서 파피루스 한 장을 꺼냈다.

놀랍게도 어딘가로 사라졌다고 생각했던 헤카 파피루스의 나머지 조각이었다. 찢어진 파피루스를 맞춰 보자 그 조각은

모피 코트가 입고 싶다면 제사장이 돼라
고대 이집트에서 아마 포 위에 표범의 모피를 걸치고 손에 날카로운 손도끼를 들고 있다면 그의 직업은 제사장이 다. 신관은 육체적으로 청결해야 했으며, 신전에 봉사할 때는 특히 엄격했다. 의식을 관장하는 고위 신관은 어떤 종류의 동물 모피(예를 들면 표범)만 착용할 수 있었고, 보통의 털이나 가죽은 걸칠 수 없었다.

공주가 가지고 있는 파피루스 두루마리와 완벽하게 들어맞았다.

"오, 이럴 수가! 이것은 저도 처음 보는 헤카 파피루스의 일부로군요."

"아메스 아저씨, 대체 이 두루마리에 뭐라고 써 있어요?"

궁금함을 참다 못한 노빈손이 나섰다.

"용기 없는 자여 침묵할지어다.

진정한 파라오의 손에 헤카가 쥐어지면

이집트에 두 개의 태양이 떠오르고

그 영광이 천년만년 계속되리라."

파피루스의 찢겨진 부분을 찾기만 하면 모든 것이 해결되리라 생각했지만, 나머지 부분을 찾은 지금도 절대 헤카의 행방은 여전히 안개 속이었다.

"알 수 없는 말들만 가득하니 어쩌라는 거야?"

머리를 쥐어뜯으며 세빌리오가 신음했다.

"그러게 말이야. 알 듯 모를 듯한 말들을 푸는 게 내 전문이긴 하지만, 이건 너무한걸."

"헤카에 접근할 수 있는 방법은 단 하나, 파라오의 돌이라고도 불리는 검은 돌을 가져야 합니다. 그것이 헤카가 숨겨진 비밀의 방으로 들어가는 열쇠입니다."

파피루스 제조를 전매한 이집트

우리 나라에서 담배와 인삼을 전매 사업으로 지정하여 국가의 수입에 보태듯이, 이집트에서는 파피루스 제조 사업을 전매하여 국가 재정을 튼튼히 했다. 또 파피루스로 책을 만드는 일도 알렉산드리아 도서관의 중요 사업의 하나였으며, 왕가의 수입이 되었다.

엥, 검은 돌? 그렇다면… 혹시? 노빈손은 파라오의 영혼에게서 받은 검은 돌을 꺼냈다. 아메스 제사장은 눈을 가늘게 뜨고는 돌을 구석구석 살펴보았다.

"음, 혹시 돌에 어떤 문자가 적혀 있지는 않았냐?"

"실은 그 돌을 불 속에 집어넣자 문장이 나타났어요."

"문장이라면?"

"붉은 땅에 살고 있는 공포의 아버지를 찾아가라고 써 있었어요. 이 땅에 사는 일만이천 공포의 아버지 중 누구를 말하는 건지 정말 난감한 거 있죠?"

노빈손의 말에 아메스 제사장의 얼굴이 서서히 굳어졌다.

"왜요? 혹시 아저씨네 아버지가 엄격하세요?"

"내 나이가 몇인데 아버지가 살아 계시겠냐? 공포의 아버지는 그 뜻이 아니라… 아랍어로 스핑크스를 말한다."

스핑크스라면 지나가는 사람들에게 문제를 내어 그것을 풀지 못하면 가차없이 목숨을 빼앗는다는 그 무시무시한 괴물? 노빈손 일행은 떠억 벌어진 입을 다물지 못했다.

"만약 스핑크스의 퀴즈를 맞히지 못하면 어떻게 되는데요?"

물어 보나 마나 한 질문에 아메스는 침묵으로 대답했다. 그 대답의 의미를 이해한 세 사람 주변의 공기는 무겁게 가라앉았다.

"그래도 그게 유일한 방법이라면 도전해 봐야죠. 우리가

카르투슈, 왕의 이름은 동그라미 안에!
신성(상형)문자로 쓴 왕의 이름을 둘러싼 타원형의 테를 카르투슈라고 한다. 왕의 이름은 대부분 카르투슈, 타원형의 원 안에 새겨넣어 알아보기 쉽게 하였다.

어떻게 해서 여기까지 왔는데요. 안 그래, 크다만파트라?"

"노빈손 말이 맞아요, 해봐야죠. 저 혼자라면 몰라도 우리 셋이 함께라면 자신 있어요."

"우리 셋이 함께 있으면 두려울 게 없다니까요. 스핑크스가 이제 정말 임자 만나게 되는 거죠. 스핑크스야, 기다려라, 여기 일지매가 간다!"

어린 세빌리오도 용감하게 외쳤다.

그 동안 많은 문제를 풀어 왔지만, 이 대결은 노빈손의 일생일대의 가장 큰 모험이 될지도 모른다. 그리고 어쩌면 마지막 모험이 될지도 모른다.

"자네들에게도 행운이 함께하길 비네. 그리고 개인적으로… 노빈손이라고 했나?"

"네, 공주님은 저에게 맡기시고, 마음 푹 놓고 기다리세요. 저만 믿으세요, 걱정 마세요."

"음… 자네가 제일 걱정이야."

가장 힘세고 완벽한 상상 속의 동물. 스핑크스 스핑크스는 '교살자'라는 의미의 그리스어이며, 원래 이집트어로는 '살아 있는 형상'이라는 의미의 세세프 안크로 불려졌다. 고대 이집트인들이 꿈꾸던 피조물 중 가장 힘세고 완벽한 존재이다. 그들은 사자의 앞부분, 황소의 뒷부분, 독수리의 날개, 그리고 인간의 머리로 구성된 신화적인 동물을 숭배했는데, 이 가운데 기자의 피라미드에 있는 스핑크스는 사자의 몸과 사람의 얼굴이 결합된 형태로 남아 있다.

스핑크스와 수수께끼 대격돌

끼끼끼익―.

스핑크스가 살고 있다는 골짜기에 들어서자 귀를 긁는 듯한 소음과 함께 어디선가 불쾌하고 숨 막히는 냄새가 폴폴 피어오르기 시작했다. 사막 한가운데 이런 곳이 있으리라고 상상할 수 없을 정도로 질퍽하고 끈끈한 늪지대가 끝없이 펼쳐져 있고, 알 수 없는 불쾌한 냄새가 늪지대 전체에 안개처럼 퍼져 있었다.

"윽, 이게 무슨 냄새야?"

"그러게 말이야, 노 형. 이 녀석 스핑크스가 아니라 혹시… 스컹크스 아냐?"

"이렇게 음침한 곳에 살면 피부 미용에 안 좋을 텐데. 스핑크스란 녀석, 문제를 잘 내는지는 몰라도 인테리어 솜씨는 형편없다."

코를 막으며 늪을 가로질러 걷던 세 사람은 높이를 알 수 없는 거대한 문에 이르렀다. 바로 스핑크스가 지키고 있는 헤카의 문이었다. 노빈손 일행이 거대한 문 앞에 서자 손잡이에 손을 대기도 전에 스르륵— 문이 열렸다.

문 안쪽에는 드라이아이스를 가득 넣어 놓은 창고처럼 안개가 가득 차 있어 한치 앞도 내다볼 수 없었다. 안개는 어느새 곁으로 다가와 몸을 휘감았다. 피부에 얇은 살얼음이 닿는 듯한 한기가 뼛속까지 스며들어, 몸이 으스스 떨렸다.

스핑크스의 충실한 염탐자라도 되는 듯 세 사람의 구석구석을 세심히 관찰하고 나서야 안개가 서서히 걷혔다. 안개가 걷히자 얼음처럼 차가운 스핑크스의 눈과 딱 마주쳤다.

거대하고 날렵한 사자의 몸뚱이에 얼굴은 근엄한 남자의

고대 이집트에도 자동
문이?
이집트인들의 발명품
중 특이한 것으로 자동
문이 있다. 기원전 2,000
년에 이집트의 신전에
사용되었던 자동문의
원리는 간단하다. 제단
아래에 물을 담은 그릇
몇 개와 이 그릇들과 밧
줄로 연결된 원기둥이
장치돼 있다. 횃불이 켜
지면 공기가 팽창해 물
을 밀어내고, 그 힘으로
문 아래에 연결된 원기
둥이 돌아 문이 열리는
방식이다. 하지만 이 발
명품은 오래 가지 않았
다. 당시에는 노예들이
많아서 굳이 자동문을
만들 필요가 없었기 때
문이라고 한다.

모습을 한, 전설 속에 등장하는 스핑크스였다. 스핑크스의 몸집이 얼마나 큰지, 재채기만 해도 사막의 모래가 모두 날아가 버릴 듯했다. 스핑크스와 눈이 마주치자 세 사람은 공포로 온몸이 빳빳하게 굳어 버렸다.

"오, 몇백 년 만의 방문객이로군. 겁 없는 녀석들이 요샌 많이 줄었다 했더니, 오늘은 한꺼번에 세 놈씩이나 왔네. 크크~ 아침, 점심, 저녁 식사로 한 놈씩 먹어 주지."

"네가 바로 문제를 내고 사람을 잡아먹는다는 스핑크스구나."

세빌리오는 공포심을 없애기 위해 배에 힘을 주고 눈을 부라리며 큰 소리를 냈으나, 갈수록 모기 소리처럼 잦아들었다.

"오호~ 간만에 귀여운 간 큰 놈을 만났구나. 너같이 어린 녀석들은 육질이 부드러워 한입에 잡아먹기에 아주 그만이지. 특히 어리고 건방진 놈은 내가 제일 좋아하는 메뉴다."

스핑크스는 세빌리오를 바라보며 입맛을 다시는 듯 침을 꿀꺽 삼켰다. 그 소리가 어찌나 큰지 소리만으로도 스핑크스의 침을 뒤집어쓴 것 같았다. 세빌리오는 얼른 노빈손과 크다만파트라 뒤에 숨었다.

"길고 짧은 건 대봐야겠지?"

거대한 스핑크스를 올려다보며 크다만파트라가 야무지게 외쳤다.

"그래, 상대가 이 정도는 반항을 해야 문제 낼 맛이 나지.

스핑크스의 원조
고대 오리엔트 신화에 나오는 괴물로 사람의 머리와 사자의 몸을 가지고 있다. 이집트와 아시리아의 신전이나 왕궁·분묘 등에서 스핑크스의 조각을 발견할 수 있다. 이집트의 기자에 있는 카프레 왕의 피라미드에 딸린 스핑크스가 가장 크고 오래된 것으로 알려져 있는데, 이것은 자연 암석을 이용하여 통째로 조각한 것이다.

그 동안 쳐다보기만 해도 돌이 되는 인간들이 찾아와서 얼마나 시시하던지. 간만에 문제를 내볼 만한 상대를 만났구나."

"어이, 스핑크스. 여기 나, 노빈손도 있는데, 왜 난 아는 척도 안 하는 거냐?"

노빈손은 자신을 무시하는 듯한 스핑크스의 태도에 내심 맘이 상했다.

"난 공부 못 하는 애들이랑 얘기하는 걸 별로 좋아하지 않아."

코방귀를 뀌듯 대답하는 스핑크스의 말에 노빈손은 깜짝 놀랐다.

헉— 내가 공부 못 하는 걸 어떻게 알았지?

스핑크스의 세 가지 문제

"자, 워밍업은 이것으로 됐고, 이제 문제를 내겠다."

"잠깐, 아침엔 네 발, 점심엔 두 발, 저녁엔 세 발인 것이 뭐냐는 문제를 내려고 했지? 정답은 인간이야. 맞았지? 이제 우리 간다."

스핑크스에 대해 얘기할 때마다 항상 등장하는 문제를 책에서 읽어 알고 있던 노빈손은 스핑크스가 문제를 내기도 전에 미리 선수를 쳤다.

스핑크스의 코
나폴레옹이 이집트를 원정할 때 피라미드 앞에 버티고 있는 스핑크스가 자신의 권위에 도전하는 것처럼 보여 대포를 쏘아 스핑크스의 코를 떨어뜨렸다고 전해지기도 하고, 아랍의 공격을 받아 훼손된 것이라는 주장도 있다. 하지만 현재 가장 유력한 설은 사막의 기후 환경 때문에 자체 무게를 이기지 못하고 저절로 떨어진 것이라는 자연풍화설이다. 어떤 게 진실인지는 오직 스핑크스만이 알고 있겠지?

"내 이마에 바보라고 써 있냐? 오이디푸스가 풀고 소문이 좌악— 난 문제를 내가 또 리바이벌하게? 업그레이드된 강력한 문제다. 세 사람이니까 세 문제를 내도록 하지."

"치사하다. 원래 한 문제만 맞히면 되는 거였잖아?"

"치사하면 네가 스핑크스 해라."

한 문제도 아니고 어려운 문제를 세 문제씩이나 맞혀야 하다니. 전혀 예상치 못했던 상황에 노빈손 일행은 얼굴이 새파랗게 질렸다. 스핑크스는 세 사람을 죽 둘러보더니 세빌리오를 가리키며 말했다.

"야, 거기 어린 녀석! 겁먹긴. 너부터 나와라."

"조, 좋다. 그런데 왜 하필 나부터냐? 나, 난 도둑질이라면 몰라도 퀴즈엔 약한데…."

"첫 번째 문제다. 여기 멈춘 시계와 1분 빨리 가는 시계가 있다. 이 두 시계 중 어느 시계가 더 시간이 잘 맞는다고 할 수 있는가?"

스핑크스는 문제를 못 맞히면 세빌리오를 통구이로 만들 생각인지, 불을 피우고 바비큐 꼬챙이를 달구며 콧노래를 부르고 있었다.

멈춘 시계와 1분 빠른 시계, 둘 다 시간이 안 맞는데 뭘 선택하라는 거지? 아무래도 1분 빨리 가는 시계가 원래의 시계보다 항상 1분이 빠르니까 더 정확하지 않을까? 그리고 멈춰 있는 시계는 시간이 맞을 리가 없잖아? 아냐, 문제가 그렇게

스핑크스와 오이디푸스의 숙명의 대결
그리스 신화에 나오는 스핑크스는 지나가는 사람에게 "아침에는 네 다리로, 낮에는 두 다리로, 밤에는 세 다리로 걷는 짐승이 무엇인가?"라는 수수께끼를 내고 이를 풀지 못한 사람을 잡아먹었다는 전설로 유명하다. 그러나 오이디푸스가 '사람'이라고 정답을 맞히자 스핑크스는 물 속에 몸을 던져 죽었다고 한다. 이것이 스핑크스의 오리지널 수수께끼이다.

쉬울 리 없어. 뭔가 우리가 생각하지 못하는 함정이 있을 거야. 뭔가 있어.

그 동안 수많은 수수께끼를 풀어 온 노빈손은 이 퀴즈가 그리 단순하지 않은 문제라는 걸 직감적으로 느꼈다. 정답이 너무 들여다보이는 문제는 오히려 생각지도 못한 함정이 있는 법! 자, 다시 한 번 뒤집어 보자.

"그래, 바로 그거야!"

노빈손은 무릎을 탁 치며 일어났다.

"세빌리오, 정답은 멈춘 시계야."

"무슨 소리야? 멈춘 시계가 시간이 더 잘 맞는다는 게 말이 되냐고? 노 형, 혹시 너무 무서워서 맛이 간 거 아냐?"

"멈춘 시계는 적어도 하루에 두 번은 정확한 시간을 가리킨 다구. 시계가 멈춘 바로 그 때 말이야. 하지만 1분 빠른 시계는 언제나 1분 빠르기 때문에 한 번도 시간이 맞을 리가 없지."

"아, 그렇구나!"

세빌리오는 노빈손의 설명의 듣고 그제야 알겠다는 듯 고개를 끄덕거렸고, 눈에는 감탄의 빛이 역력했다.

"첫 번째 문제는 너무 쉬웠나 보군. 요새 애들은 정말 뭘 먹고 저렇게 문제를 잘 푸는 거야. 아, 자존심 상해. 좋아, 이 번엔 안 봐준다, 두 번째 문제다."

거대한 진주를 녹여라

"두 번째 문제는… 자, 여기 진주가 있다."

스핑크스가 털이 부숭부숭 난 커다란 손바닥, 아니 발바닥 위에 주먹만한 진주를 올려놓자, 크다만파트라의 눈이 초롱 초롱 빛났다.

"어머, 스핑크스가 내 미모에 반해서 청혼하려나봐."

"무슨 소리냐, 나는 원래 이렇게 무릎 꿇은 자세다. 여기 이 진주는 먹어도 죽고 안 먹어도 죽는다. 이 진주를 한 입에 먹으면 통과시켜 주지."

"세상에, 저렇게 큰 진주는 처음 봐. 깨거나 자르지 않고

스핑크스의 또 다른 문제들
스핑크스가 냈다고 알려진 다른 수수께끼들이 있다.
① 한쪽이 다른 한쪽을 낳고, 태어난 자가 다시 자기를 낳은 자를 낳는 것 - 낮과 밤의 자매
② 처음 생겨날 때 가장 크고, 한창일 때 가장 작고, 늙어서 다시 커지는 것 - 그림자

통째로 꿀꺽 삼키는 건 불가능하다고 봐."

노빈손의 말이 끝나자마자 스핑크스가 문제를 덧붙였다.

"단, 깨거나 자르지 않고 말이야. 음하하핫~."

"끝까지 치사하게 나오네, 저 스핑크스."

깨지 않고 저 거대한 진주를 삼키는 것은 불가능해 보였다. 억지로 진주를 삼켰다가는 기도가 막혀 죽을 것이고, 그렇다고 먹지 않는다면 스핑크스에게 꼬치구이가 되어 먹힐 것이다.

"어렵지, 어렵지? 음하하하, 이게 얼마 만에 먹어 보는 사람 꼬치구이야."

목에 턱받이까지 두르고 식탁을 차리며 스핑크스는 잔뜩 기대에 부풀었다.

"나처럼 예쁜 애를 잡아먹을 생각을 하다니, 저 스핑크스는 제정신이 아냐."

이번만은 크다만파트라의 공주병에 노빈손도 일일이 대꾸할 여유가 없었다. 영락없이 산 채로 꿀꺽 잡아먹힐 상황이라니…. 노빈손은 마른침을 꿀꺽 삼켰다.

"물… 물 좀 없어? 여행하기 전에 과일을 따서 주머니에 넣었잖아. 그거라도 좀 줘."

"노빈손, 넌 이 상황에서 먹을 거 생각이 나니?"

"몸에 있는 피가 바싹바싹 마르는 느낌이라, 뭐라도 먹지 않으면 쓰러질 것 같아."

체코슬로바키아 특허번호 제93304호
프랑스인 보비는 피라미드 모형 안에 넣어 둔 음식물이 오랫동안 신선한 상태로 보존된다는 것을 발견했다. 그 후 1959년 이 기록을 본 체코슬로바키아의 카렐 드르발은 널빤지로 작은 피라미드를 만들어 낡은 면도칼을 넣어 두었더니, 놀랍게도 면도칼은 새로 간 것처럼 날이 서 있었다. 그는 이 신기한 '면도날의 기적'을 특허로 등록해 엄청난 성공을 거두었다.

노빈손은 가죽 주머니 안의 과일을 입에 넣자마자 몸서리를 치며 뱉어 버렸다.

"퉤퉤― 이게 뭐야, 과일이 완전히 식초가 됐잖아. 과일이 다 녹아 버렸네."

잠깐, 내가 지금 뭐라고 했지? 과일이 다 녹아 버렸다고? 그래, 그거야. 깨거나 자르지 않고 진주를 삼키는 방법. 진주를 녹이면 되잖아. 그럼, 진주를 녹일 수 있는 건 뭐가 있을까?

"세빌리오, 도굴꾼들이 도굴을 할 때 피라미드 바위도 녹였다는 얘기를 들은 적이 있는데, 그게 사실이야?"

"노 형 생각 잘했다. 도굴이란 게 말이야, 생각보다 수입이 짭짤하거든. 그런데 그 얘기는 지금 왜 하는 건데?"

눈치 없는 녀석 같으니. 쟨 어떨 때 보면 눈치 50단, 코치 50단 합이 100단인 것 같은데, 가끔 보면 이렇게 영 상황 파악을 못 한단 말이야.

"도굴할 때 그 딱딱한 피라미드 바위를 어떻게 녹인 거야?"

"그거야… 그건 도굴꾼들 사이에서만 전해지는 비법이라고. 심지어 며느리도 몰라. 아무한테나 안 가르쳐 줘."

"혹시 쥐방울… 너도 모르는 것 아냐?"

무시하는 듯한 노빈손의 말에 세빌리오는 발끈했다.

"무슨 소리! 이래봬도 내가 얼마나 잘 나가는 도굴꾼 집안

보석을 삼켜 마음을 훔친 클레오파트라
이집트의 여왕 클레오파트라는 카이사르의 죽음 후 정권을 차지한 안토니우스를 유혹해 이집트를 지키려 했다. 클레오파트라는 진귀한 거대 진주를 식초에 녹여 마시며 이집트 신화에 나오는 신들을 흉내 내어 안토니우스의 마음을 사로잡는다. 진주는 주로 탄산칼슘으로 되어 있으며, 식초를 포함한 모든 산에 녹는다는 사실을 알고 있었던 클레오파트라는 과학 상식이 풍부한 재치 있는 인물이었다.

삼대 독자인데 그걸 모르겠어? 피라미드는 석회암으로 비밀 통로를 만들어 놓는데, 그 비밀 통로를 발견하고 나면 식초를 부어 녹여서 입구를 여는 거라구. 가만 보면 도굴꾼들을 너무 무시하는 경향이 있어… 헙—."

세빌리오는 놀라 입을 막았다. 대대로 전해 오는 비법을 이렇게 떠벌리다니….

"그래, 맞아. 그 때도 식초였어."

노빈손은 손뼉을 치며 폴짝폴짝 뛰어오르더니 소리를 질렀다.

"정답은 바로 식초야. 진주의 성분도 일종의 석회석이거든. 도굴꾼들이 쓴 방법을 쓴다면 틀림없이 진주도 녹일 수 있을 거야."

"정말 그럴까?"

믿을 수 없다는 표정의 크다만파트라와 뚱한 표정의 세빌리오가 노빈손을 바라보았다.

"일단 한번 해보자고."

세 사람은 스핑크스의 진주를 그릇에 담고 과일 주머니에 담긴 맑은 식초를 진주가 담길 만큼 부었다. 그릇을 가운데 두고 머리를 맞댄 세 사람은 그릇 속에서 일어나는 변화를 관찰하기 시작했다. 노빈손이 살짝살짝 그릇을 흔들자 식초가 흔들리며 진주를 촉촉이 적셔 갔다. 얼마나 지났을까, 눈동자를 진주에 고정시키며 시선을 떼지 못하던 세 사람은 누

203

식초의 역사
식초는 강한 신맛이 나는 산성 조미료로, 발효시켜 양조하거나 과실의 신맛을 이용해 만든다. 문헌상으로 가장 오래된 '식초'라는 말은 아라비아어인 '시에히게누스'인데, 이스라엘의 지도자인 모세가 붙인 말이다. 중국에는 공자 시대에 이미 식초가 있었고, 한국에는 삼국 시대에 중국에서 식초 만드는 법이 전래되었다. 식초는 살균력이 강하여 대부분의 병원균을 약 30분 이내에 사멸시키고, 강한 산성으로 부식 작용이 있어 진주도 녹일 수 있다.

가 먼저랄 것 없이 소리를 질렀다.

"녹는다! 진주가 녹는다!!"

따뜻한 물에 넣은 각설탕처럼 진주의 미세한 알갱이들이 슬슬 무너지듯 퍼져 내려갔다. 물 속에서 풀어지는 안개처럼 진주가 서서히 녹아 물이 우윳빛으로 변해 가고 있었다. 크다만파트라는 의기양양하게 진주를 녹인 물을 마셨다.

"자, 이 미모로 진주를 녹였다, 어쩔래?"

세 사람은 너무 좋아서 인디언처럼 환호성을 지르며 춤을 추었다. 이 광경을 지켜본 스핑크스는 후춧가루를 통째로 삼킨 것처럼 얼굴이 붉으락푸르락해졌다.

"저것들이… 어떻게 이런 어려운 문제를! 아이고 혈압이야. 오이디푸스 때처럼 고혈압 증세가 도지다니…."

스핑크스의 표정은 일그러지다 못해 번데기처럼 우그러졌다. 입에서 불만 뿜으면 스핑크스가 아니라 용이라고 해도 믿을 정도로 약이 잔뜩 올라 있었다.

"어이 스핑크스, 그렇게 흥분하다간 세 번째 문제를 내기도 전에 혈압으로 쓰러진다구."

꿈속에 나타난 스핑크스
고대 기록에 따르면 젊은 왕자가 뜨거운 사막을 지나가다가 스핑크스의 그늘에서 쉬게 되었다. 잠을 자는데 꿈속에서 스핑크스가 나타나 "내 둘레에 높이 쌓인 모래를 제거해 주면 이집트 왕위를 주겠다"고 말했다. 꿈에서 깬 왕자는 바로 모래를 제거해 주었고, 스핑크스의 약속대로 왕자는 이집트 왕이 되었다. 그가 바로 3,400여 년 전의 이집트 왕 투트모세 4세이고, 스핑크스는 이 때 1,100세였다고 한다.

절대 헤카의 힘

노빈손 일행은 흥분을 가라앉히고 차분히 스핑크스의 마지막 문제를 기다렸다.

"내가 이 녀석들을 너무 만만하게 봤군. 이거야말로 내가 준비한 비장의 문제다. 첫 번째, 두 번째 문제는 운이 좋아 풀 수 있었지만, 마지막 문제를 풀지 못하면 그 두 문제를 푼 것도 도로 아미타불이 되고 만다."

스핑크스는 세 사람 주변을 돌면서 동그랗게 원을 그려 넣었다. 이건 도대체 무슨 의미지? 노빈손과 크다만파트라, 그리고 세빌리오는 영문을 몰라 숨을 죽였다.

"너희들은 원 안에 있어서도 안 되고 원 밖에 있어서도 안 된다."

"그게 무슨 소리야?"

"말 그대로다. 더 이상의 힌트는 없다. 잠시 시간을 주지. 만약 내가 돌아왔을 때 원 안에 있거나 원 밖에 있다면 세 사람 다 한꺼번에 삼켜 주겠다. 음하하하."

"저 치사한 녀석, 이젠 문제 같지도 않은 이상한 문제를 내다니. 끝까지 치사하게 구는군."

원 밖에 있어서도 안 되고 원 안에 있어서도 안 된다니…. 크다만파트라는 노빈손에게 구원의 눈길을 보내고 있었지만, 어떤 힌트도 떠오르지 않았다. 이럴 수가, 스핑크스가 낸 어려운 문제를 두 개나 풀고도 결국 꼬치구이가 되어야 하다니. 절대 헤카를 바로 앞에 두고 이렇게 주저앉아야 한다는 사실에 다들 목이 메었다.

205

세계 7대 불가사의

세계 7대 불가사의는 알렉산더 대왕의 동방 원정 이후 그리스 여행자들에게 관광 대상이 된 일곱 가지 건축물을 가리킨다. ① 이집트 기자에 있는 쿠푸 왕의 피라미드. ② 메소포타미아 바빌론의 공중정원, ③ 올림피아의 제우스 상 ④ 에페소스의 아르테미스 신전 ⑤ 할리카르나소스의 마우솔로스 능묘 ⑥ 로도스의 크로이소스 대거상 ⑦ 알렉산드리아에 있는 파로스 등대를 말한다.

크다만파트라의 두 눈에 눈물이 넘쳤다.

"이제 이집트 왕국은 끝인가봐. 세빌리오, 그 동안 고마웠어. 그리고 노빈손, 생각해 보면 너한테도 고마운 게 있을 거야. 흑─ 미인박명이라더니."

"그 동안 나도 공주병이라고 놀린 거 미안해. 꺼이꺼이─."

노빈손과 크다만파트라는 마지막이 될지도 모를 인사를 나눴다. 그런데 이상하게도 이쯤 되면 있는 방정 없는 방정, 온갖 오도방정을 다 떨어야 할 쥐방울 세빌리오가 잠잠했다.

세빌리오가 입을 연 것은 그 때였다.

"잠깐, 아직 끝나지 않았어."

세빌리오는 원을 발로 지워 버리기 시작했다.

"원 안에 있어도 안 되고 원 밖에 있어도 안 된다면, 원을 없애 버리면 되지."

노빈손은 세빌리오의 행동에 기가 막혔다.

"세빌리오, 너 지금 제정신이야?"

어, 잠깐. 노빈손은 그제야 세빌리오의 기막힌 생각에 머리를 쳤다. 그렇다, 원인을 제공한 원을 없애 버린다면 문제는 간단하게 해결되는 것이다. 귀여운 녀석, 어떻게 이런 기특한 생각을 해냈지?

덜컹 덜컹—.

석회암으로 만들어진 스핑크스가 심하게 흔들렸다.

"이럴 수가! 내가 얼마나 힘들게 짜낸 문제들인데, 그 문제들을 다 풀다니…."

스핑크스를 이룬 석회암들이 일제히 흔들리자 지진이 일어나는 것처럼 땅이 심하게 흔들렸다. 곧이어 높은 빌딩이 무너지듯 스핑크스가 힘없이 주저앉더니 거대한 흙먼지가 구름처럼 일다가 잦아들었다. 먼지가 사라진 후 그 일대를 뒤덮었던 늪지대는 온데간데없어지고 메마른 모래땅에 지팡이처럼 생긴 물건이 떨어져 있었다. 바로 헤카였다.

다른 곳은 다 척박한 모래땅인데 헤카가 떨어진 곳 주위에만 식물이 자라는 것도 헤카의 신비한 작용 때문인 듯싶었다. 크다만파트라는 조심스럽게 다가가 헤카를 주워들었다.

좌아악~!

낙서 금지
피라미드의 화강암 표면에는 당시 노동자들이 한 낙서가 고스란히 남아 있다. '강력조', '인내조' 같은 일의 능률을 올리기 위한 낙서는 물론 '파라오는 술고래'라고 쓴 겁 없는 낙서도 있다고 한다.

크다만파트라가 헤카를 주워든 순간 헤카에서 신비한 빛이 뿜어져 나왔다. 그 빛이 너무나 강렬해서 세 사람은 눈을 뜨고 있기가 힘들었다. 잠시 후 노빈손과 세빌리오는 눈을 가늘게 뜨고 그 신비한 빛을 더듬었다. 헤카의 빛이 서서히 잦아들더니 이윽고 평범한 지팡이와 같은 모습으로 돌아왔다. 크기는 크지 않지만 헤카에서는 거역할 수 없는 신비스런 힘이 흘러나와 자연스럽게 주위를 압도했다.

드디어 그토록 꿈에 그리던 절대 헤카를 손에 넣다니! 세 사람은 기쁨의 눈물을 흘리며 서로 끌어안았다. 노빈손과 세빌리오는 얼싸안고 엉엉 눈물을 흘리며 서로 얼굴을 비비다가, 갑자기 서로를 의식하더니 어색하게 떨어졌다.

"왜 이렇게 꽉 껴안고 난리야."

"누가 할 소리, 남세스럽게."

크다만파트라는 두 사람을 보고 픽 웃음을 터뜨렸다.

"그건 그렇고 정말 다시 봤다니까, 세빌리오. 어떻게 답을 알았어?"

"그러게 말이야. 나도 궁금해. 말해 줘, 말해 줘, 말해 줘."

노빈손과 크다만파트라는 아까부터 궁금했던 것을 세빌리오에게 물었다.

두 사람이 호기심어린 눈으로 쳐다보자 세빌리오는 너무나도 순진하고 천진난만한 목소리로 말했다.

"아, 그거? 답안지를 훔쳤어."

시험 없는 나라는 없다! 서기가 되려는 고대 이집트 어린이들은 보통 5살쯤 학교에 입학해 10여 년 간을 글쓰기를 했다. 이 기간 동안 선생님은 시험지에 틀린 답을 적기라도 하면 가차 없이 매를 들어 등을 때렸다고 한다. "젊은이의 귀는 등에 달려 있으므로 등을 때리는 것이 결국 듣게 하는 것"이라고 여겼던 것이다.

긴가민가 이집트 OX 퀴즈

이집트 여왕들은 가짜 턱수염을 달았다?

알면 알수록 신비로운 이집트. 나는 고대 이집트 문화에 대해 얼마나 알고 있을까?

여기 이집트 상식 OX 퀴즈에 한번 도전해 보자. 단, 많이 틀린 사람에게는 미라의 저주가 있을지도 모르니 주의!

▶ 인류 최초의 파업은 피라미드 공사장에서였다. ☐

▶ 이집트인들은 사람뿐 아니라 고양이 · 개 · 원숭이 같은 동물도 미라로 만들었으며, 심지어 인형을 미라로 만들기도 했다. ☐

▶ 부유한 귀족들은 개미알을 으깨어 만든 크림으로 얼굴에 화장을 했다. ☐

▶ 이집트인들은 미라를 만들 때 심장, 폐, 위, 간 등은 소중히 단지에 넣어 보관했지만 두뇌는 쓸모없는 것이라 여겨 바닥에 그냥 버렸다. ☐

▶ 이집트에서는 친척이 아닌 사람과 길에서 키스하는 것은 불법이었다. ☐

▶ 남자가 여자 앞에서 욕을 하면 법에 의해 이틀치 봉급을 빼앗겼다. ☐

▶ 고대 이집트 화가들은 남자는 갈색, 여자는 하얀색으로 피부색을 칠했다. ☐

▶ 이집트 여인들이 바른 립스틱 색깔은 블루 블랙이었다. ☐

▶ 고대 이집트인들은 돌로 만든 베개를 사용했다. ☐

▶ 이집트인들은 십진법을 썼다. ☐

▶ 이집트인들은 1년은 12개월로 나누고, 한 달은 30일로 나누었다. 그리고 1주일은 10일이었다. ☐

▶ 이집트에선 1년을 365일로 나눴으며, 한 해는 세 계절로 나누었다. ☐

▶ 이집트에선 꿀을 설탕 대신 썼다. ☐

▶ 이집트인들은 포도주와 맥주를 마셨다. ☐

▶ 피라미드 안에는 죽은 왕을 위한 화장실도 있었다. ☐

▶ 이집트의 여왕들은 종종 남자처럼 가짜 턱수염을 달기도 했다. ☐

▶ 지금까지 발견된 이집트의 파피루스 중 가장 긴 것은 길이가 125m가 넘는다. ☐

▶ 이집트인들은 수학을 중요시 여겼으나 글로 남겨 놓으면 누군가 훔쳐갈까봐 글로 남기지 않고 말로만 가르쳤다. ☐

▶ 이집트 공주들은 자기 아버지, 동생, 오빠, 심지어는 할아버지와 결혼하기도 했다. ☐

▶ 고대 이집트의 화가들은 벽에 그림을 그리기 전에 모눈종이를 먼저 그린 후 정해진 비율과 규칙에 따라 엄격히 그렸다. ☐

▶ 이집트의 화가들은 그림을 그릴 때 파라오같이 중요한 사람은 크게, 노예나 적들은 작게 그렸다. ☐

▶ 침대를 최초로 발명한 사람은 이집트인이다. ☐

▶ 바퀴를 최초로 발명한 사람도 이집트인이다. ☐

정답

문제가 어려웠는가? 마지막 문제를 제외하고 정답은 모두 O이다. 바퀴로 끄는 수레도 없이 거대한 돌로 피라미드를 만든 이집트인들이야말로 정말 대단하다고 할 수밖에….

보너스 문제

수학이 발달한 이집트에서도 0이라는 숫자가 없었다고 한다. 그럼 숫자 0을 처음 쓴 사람은 어느 나라 사람일까?

정답 인도 사람

▶ **모두 맞힌 사람** : 오, 훌륭하다. 당신은 노빈손의 피라미드를 꽤 열심히 읽었다.

▶ **10개 이상 맞힌 사람** : 비교적 나쁘지 않다. 하지만 좀더 분발하자.

▶ **1~9개 맞힌 사람** : 빨간펜을 든 미라가 곧 개인 지도를 나갈 것이다. 꼼짝 말고 대기하시길.

▶ **다 틀린 사람** : 이런 사람이 있으리라고는 생각되지 않지만, 혹시 있다면 노빈손의 피라미드를 맑은 정신으로 다시 한 번 읽어 보길 권한다.

7부

빼앗긴 헤카

헤카를 찾아 왕궁으로 돌아가는 노빈손 일행의 발걸음은 그 어느 때보다 가벼웠다.

천신만고 끝에 찾은 절대 헤카의 도움으로 크다만파트라는 그 쪼글탱이 몰자바와 결혼하지 않아도 되고, 이집트 국민들은 그 동안 시달렸던 몰자바의 악랄한 착취로부터 벗어날 수 있어서 좋고, 그 동안 차디찬 신전에서 쭈그리고 자야 했던 아메스 제사장도 이제 따뜻한 햇살을 보며 마음 놓고 생활할 수 있을 것이다. 사막 이집트 왕국에 떨어진 후 처음으로 기분 좋게 뜨거운 햇살을 마주보는 것 같다.

"그래, 이 정도의 햇볕쯤이야, 선탠 로션 없이 얼마든지 맞아 주지, 하하하."

큰 시름을 벗어 던진 크다만파트라도 오랜만에 환한 웃음을 짓고 있었다. 그런 크다만파트라를 보며 세빌리오도 신이 나서 맞장구를 쳤다.

"그러고 보면 우리는 정말 환상의 트리오였어. 안 그래, 형, 누나? 그러지 말고, 우리 이번 기회에 삼인조로 거듭나는 게 어때? 함께 있으면 두려울 것이 없잖아. 그런 의미에서 마지막으로 크게 한탕 하자. 딱 한탕만 말이야."

"이크— 세빌리오, 넌 다 좋은데 그게 문제야. 농담을 언제 멈춰야 하는지 모른다는 거!"

파라오 실명 확인제
이집트 왕의 석상에는 어깨나 옆면의 긴 타원형 윤곽 안에 이름을 써넣어 실명을 확인할 수 있다. 하지만 간혹 다른 왕의 석상에 새겨진 이름 위에 자신의 이름을 덧새겨 남의 업적을 빼앗는 경우도 있으므로 주의해서 잘 봐야 한다.

"형, 그게 정말이야? 내가 좋다고?"

"내가 언제 그랬어?"

"지금 그랬잖아. 다 좋은데 그게 문제라고."

크다만파트라가 둘을 보더니 피식 웃었다.

"두 사람이 싸우고 있는 걸 보면 너무 수준이 낮아서 말이야. 이 미모에 어울리는 그런 농담 없어?"

푸하하핫~!

누가 먼저랄 것도 없이 큰 웃음이 터져나왔다. 세 사람은 얼마 동안 그렇게 사막 한가운데서 웃으며 서 있었다. 그 동안 있었던 많은 어려움에 관해 이제 서로 마음 편히 얘기하며 웃을 수 있을 것 같았다. 핑크빛 미래가 저만치서 손짓하고 있는 것처럼 달콤한 행복감이 꼬물꼬물 뱃속을 간질였다.

그런데….

"좋아하긴 너무 이르지 않나, 크다만파트라 공주?"

"이 목소리가 흔한 목소린 아닌데… 꼭 몰자바 목소리 같지 않냐, 설마…?"

"그래, 그 설마다."

깜짝 놀란 노빈손이 뒤를 돌아보자, 몰자바와 그의 부하들이 어느 틈에 왔는지 노빈손을 단체로 노려보고 있었다.

"하늘에서 떨어진 녀석, 처음에 네 놈을 확실히 제거했어야 하는 건데. 크다만파트라 공주, 내일이면 신부가 될 여인이 이런 질 낮은 녀석들과 어울려서야 되겠습니까?"

훌륭한 이집트 여인이란?
"열 살이 되면 부모가 정해 준 남자와 결혼해 적어도 5명 이상의 아이를 낳아야 하고, 신과 남편의 뜻에 절대 순종해야 한다." 그러나 이상과 현실은 다른 법. 당시 여성들도 학교에서 글을 배웠으며 부모의 뜻을 어기고 사랑하는 사람과 결혼하는 여성도 많았다. 역사가 헤로도토스는 "이집트 여성들은 너무 독립심이 강하다"고 불평하기도 했다.

"몰자바 대신, 누가 더 질이 낮은지는 양심에 손을 얹고 물어 보세요."

크다만파트라 공주의 대답이 몰자바의 기분을 상하게 했는지 몰자바의 한쪽 볼살이 파르르 떨렸다.

"천한 것들이랑 어울리더니 공주의 입이 많이 거칠어졌군요. 예전에 안 하던 말대답을 다 하시고. 게다가 전에 없이 건방져진 걸 보면 믿는 구석이라도 생기셨나?"

노빈손은 몰자바의 음흉한 웃음이 마음에 걸렸다. 헤카를 찾기 위해 노빈손 일행이 애쓰는 동안 몰자바는 이상할 정도로 잠잠했다. 그러더니 하필이면 절대 헤카를 찾은 이 시점에 기다렸다는 듯이 나타나다니…. 뭔가 석연치 않은 구석이 많았다.

"헤카를 찾느라 고생해서 그런지 네 녀석도 얼굴이 말이 아니구나. 하긴, 원래 상태가 그리 좋은 얼굴은 아니었지만. 그 동안 헤카를 찾느라 수고했다. 여러분 덕분에 이 몸은 손가락 하나 까딱 안 하고 헤카를 얻게 됐으니, 이 고마움을 어떻게 표현해야 할지… 캬캬캬! 애들아, 녀석들에게서 헤카를 빼앗아라!"

왜 불길한 예감은 늘 맞는 것일까? 왕궁에 편히 앉아 노빈손 일행이 헤카를 찾을 때까지 기다리다가 가로채다니, 몰자바 대신의 잔머리는 거의 펜티엄 컴퓨터와 맞먹을 정도다.

앞으로 다가올 거대한 고난을 감지하기라도 하듯 노빈손

이집트에서도 반지는 영원한 사랑의 상징
고대 이집트인들은 반지를 결혼의 상징으로 여겼는데, 이는 반지가 시작과 끝이 없기 때문이다. 그들은 사랑이 꼭 그러하다고 믿었다.

의 입에서 묵직한 신음이 새어나왔다.

"얘들아, 어서 공주를 데려가라! 그리고 너희 두 녀석은 색 다른 방법으로 괴롭혀 주지, 캬캬캬."

화형대의 화염 속으로

수많은 사람들이 대관식을 보기 위해 왕궁으로 모여들어 이 집트 거리가 텅텅 비었다.

신전 옆으로 늘어선 거대한 기둥에는 화려한 이집트 글자와 그림들이 일일이 새겨져 있고, 햇살을 받자 황금으로 만든 것처럼 빛이 났다. 거대한 돌덩이를 쌓아 올려 조각한 황금 왕좌는 이집트 왕의 권위를 드러내고 있었다.

왕궁에는 대관식과 결혼식을 보기 위해 이집트 국민들이 구름처럼 모여들었다. 비어 있는 왕좌 옆으로 귀족들이 화려한 치장을 하고 늘어서 있었다. 머리에 향유를 얹은 화려한 차림의 귀족 여인들로 인해 사방에서 달콤한 냄새가 진동했다.

곧이어 대관식의 시작을 알리는 북소리가 왕궁에 울려 퍼지자 주위는 이내 조용해졌다.

"노빈손, 잘 봐둬라, 나와 크다만파트라 공주의 결혼식을 보기 위해 몰려든 사람들이 얼마나 많은지. 가만 있자, 세금 외에 축의금도 따로 걸을 걸 그랬네. 결혼식처럼 돈벌이 되

수입된 귀걸이 문화
고왕국·중왕국 시대에는 이집트 사람들이 귀걸이를 한 흔적이 보이지 않으나 신왕국 시대부터 미라에 귀걸이 자국이 보이는 걸로 보아, 주변국 수메르에서 귀걸이를 하는 풍습이 이집트로 전해진 것으로 추측된다. 투탕카멘의 황금 마스크와 람세스 대왕의 미라에도 귀걸이 자국이 있다.

는 장사도 없었을 텐데."

그 동안 높은 세금과 고리대로 백성들을 괴롭혀 온 것도 모자라 결혼식에 참석한 사람들도 돈으로 보이는지, 몰자바는 돈 계산을 하느라 눈이 벌게져 있었다.

"비싼 세금을 매겨 이집트 국민들을 괴롭히더니 이번엔 축의금 명목으로 돈을 거둬들일 생각이나 하고 있고. 돈이 그렇게 좋냐? 가난에 찌든 이집트 사람들이 걱정도 안 되냐고?"

노빈손의 외침에 몰자바는 그제야 돈 세는 걸 멈추고 소리 나는 쪽을 바라보았다.

"네가 지금 남 걱정할 때냐? 시건방진 녀석! 캬캬캬~ 걱정 마라, 오늘 여기 온 사람들은 그만큼 재미있는 구경거리를 보게 될 테니까. 바로 네 녀석이 죽어가는 걸 말이야. 서커스 구경할 때 내는 돈이라고 생각하면 아깝지 않을 거야, 캬캬캬."

기분 나쁜 몰자바의 웃음소리가 등골을 오싹하게 했다. 도대체 무슨 꿍꿍이지?

"얘들아, 결혼식을 시작할 테니 어서 공주를 데려와라."

이윽고 크다만파트라 공주가 시녀들의 부축을 받으며 등장했다. 한올 한올 금실로 화려하게 수놓은 드레스는 바람이 불 때마다 찰랑거리는 소리를 냈다. 공주가 등장하자 모두들 그녀의 아름다움에 무릎을 꿇어 경의를 표했다. 일자로 자른

부케 받으면 행운이 온다
고대 이집트에서는 신분의 상징으로 곡물 다발을 주고받았는데, 풍요로움과 다산을 상징하는 시프라는 곡물이 사용되었다. 이것이 발전해서 중세의 결혼식에서는 나쁜 기운을 막아 주고 신부에게 일어날지도 모르는 액을 막아 준다는 의미로 꽃다발을 들게 되었다. 이를 프랑스어로 꽃다발을 뜻하는 부케라고 부르게 되었다.

앞머리 위에 물방울 다이아몬드로 만든 고리를 감은 모습은 여기저기서 탄성이 터지기에 충분했다.

"마치 살아 있는 이시스 여신 같으십니다!"

크다만파트라의 키가 1cm만 컸어도 인류의 역사가 바뀌었을 거라는 말이 실감나는 순간이었다. 타고난 미모와 아름답고 화려한 대관식 의상이 어우러져 인간이 나타낼 수 있는 최고의 미를 자아내고 있었다. 그러나 정작 오늘의 주인공인 크다만파트라 공주의 얼굴은 어둡기만 했다.

"오호~ 뷰티풀, 판타스틱 그 자체! 역시 공주는 이 몰자바의 신부가 될 자격이 충분하다니까. 공주, 반항했다간 여러 사람의 목숨이 어떻게 될지 모르는 거 알지? 캬캬캬."

기름기가 흘러 번들거리는 몰자바의 얼굴에는 미소가 가득했다.

"자, 결혼식에 앞서서 여러분을 위한 이벤트를 준비했습니다. 여기 있는 노빈손이 그 주인공이 될 텐데, 참고로 여러분도 건방지게 굴면 이렇게 된다는 걸 알아 두세요. 얘들아~ 준비해라!"

말이 끝나기가 무섭게 병사들이 다가와, 노빈손의 손과 발을 뒤로 묶어 나무 기둥에 높이 매달았다. 그리고 어디선가 장작 뭉치를 날라와 노빈손의 발 밑에 차곡차곡 쌓기 시작했다. 하나둘씩 쌓기 시작한 장작은 어느새 노빈손의 발 밑에 작은 언덕을 이루었다.

파라오에게 반역을 꾀한 자들의 최후

절대 권력을 휘두르던 파라오에게도 적은 사방에 있었다. 왕위를 노리는 주요 세력들은 사무실장, 후궁의 관리, 궁수 부대의 지휘관 등 왕과 개인적으로 가까운 사람들이었다. 특히 후궁의 관리들이 많았으며, 궁 안에서 일으키는 쿠데타에 발맞추어 궁 바깥에서는 폭동을 선동할 계획이었다. 주모자들은 모두 사형 선고를 받는데, 몇몇은 법정 안에서 자살하라는 형을 받고 스스로 목숨을 끊기도 했다. 비교적 약한 형벌은 귀와 코를 자르는 것이었다.

"자, 노빈손, 마지막으로 할 말은 없나?"

"저… 지금 뭐하려는 중이세요?"

"널 바비큐로 만들어 버리려고 한다, 왜? 캬캬캬~ 얘들아, 어서 시작해라."

"모, 몰자바, 아니 몰 선생님. 제, 제가 그냥 반항해 본 거걸랑요. 저 일도 엄청 잘해서 왕궁에서 시키는 일이면 아무거나 잘할 수 있는데…. 의심나시면 두, 두르리나한테 물어 보세요. 이번 한 번만 봐주시면 안 돼요?"

통구이가 되는 마당에 비굴한 게 문제인가. 노빈손은 세상에서 제일 불쌍한 표정을 지어 보였다.

"그러다 또 반항하려는 거 누가 모를 줄 알아? 너무 늦었다. 뭐하고 있느냐, 어서 불을 붙이지 않고!"

한 병사가 성화 봉송 주자처럼 횃불을 가지고 앞으로 뛰어나와 발 밑에 쌓인 나무에 불을 붙였다. 눈앞이 하얗다 못해 샛노래졌다. 안 돼~.

나무 사이사이에 불쏘시개처럼 박힌 건초들이 타들어가자, 장작에도 불길이 무섭게 옮겨 붙기 시작했다. 목을 늘려 입을 쭉 빼고 후후— 입김을 불어 보기도 하고 침을 뱉어 봐도 마른 장작더미에 옮겨 붙은 불길을 막기엔 역부족이었다.

"콜록 콜록—. 앗, 뜨거! 이봐요, 구경하는 동네 사람들, 뭐

해요? 얼른 119에 전화 안 하고. 이거 실제 상황이라구요. 으악, 뜨거워! 노빈손 살려!"

하얗게 피어오르는 연기 너머로 크다만파트라가 몰자바에게 애원하는 모습이, 병사들에게 제지당한 세빌리오가 발버둥치는 모습이 희미하게 보였다.

타닥 타닥 타닥—.

이제 밑에서부터 타들어가기 시작하던 불길은 노빈손이 있는 곳으로 점점 더 올라오고 있었다. 나무에 붙은 불은 금방이라도 노빈손을 삼켜 버릴 듯이 맹렬하게 타오르기 시작했고, 치솟는 흰 연기가 온몸을 휘감았다. 불길은 급기야 노빈손이 입고 있는 옷에까지 옮겨 붙었다. 뒤로 묶인 손목이

사형보다 무서운 형벌
파라오 테티는 신하와 무사들에 의해 암살당했다. 후에 그의 아들 페피 1세가 왕위에 즉위하자, 아버지 테티를 암살한 배반자들에게 무서운 형벌을 내렸다. 그들의 무덤에 새겨 놓은 자신들의 모습을 날카로운 끌로 긁어내어 벽의 그림에서 완전히 지워 버리는 형벌이었다. 이 형벌은 죽어서 저 세상에서까지 영구히 그들의 이름과 존재가 삭제되는 것을 의미하므로 사형보다 무서운 무시무시한 형벌이었다.

꺾여질 정도로 버둥거렸지만 소용이 없었다.

나무 장작에선 지나칠 정도로 많은 연기가 솟아올랐지만, 겁에 질린 노빈손의 눈에 들어올 리 없었다. 화형장 주변에 매캐한 연기가 가득 퍼졌다.

이 때 노빈손이 묶여 있던 기둥이 후드득— 무너지면서 사방으로 불꽃이 튀어 올랐고, 노빈손이 입고 있던 옷의 한 조각이 재로 변해 검은 나비가 되어 솟아올랐다. 불길이 잦아들고 연기가 걷히자 시꺼멓게 숯으로 변한 사형대만이 덩그러니 놓여 있었다.

"노빈소온 혀어엉～～～."

세빌리오의 고함 소리가 숙연해진 광장에 메아리쳤다.

구사일생

뜨거운 불길과 연기에 잠시 정신을 잃었던 노빈손이 다시 의식을 되찾은 것은 빛 때문이었다. 강한 빛이 얼굴을 감싸쥔 손가락 사이를 지나, 눈꺼풀을 관통했다. 노빈손은 감고 있던 눈을 더 질끈 감았다.

"웬만하면 이제 일어나지. 언제까지 눈만 감고 있을 거야?"

저승사자의 목소리치고는 상당히 특이하네. 살짝 눈을 뜬

세상에서 가장 황당한 죽음
나일 강엔 악어뿐 아니라 하마도 위협적인 존재였다. 초식동물인 하마는 성질이 사나워 수영하는 사람들을 곧잘 공격하곤 했다. 이집트 파라오 메네스가 어떻게 죽은 줄 아는가? 하마가 그를 먹어 버렸다고 한다. 맙소사!

노빈손은 깜짝 놀랐다. 파라파가 몰자바 병사의 복장을 하고 앞에 서 있었기 때문이다.

"파, 파라파 아저씨?! 그러고 보니 아까 성화 봉송 하듯이 온 병사가?"

"그래, 녀석. 반갑다! 이제 좀 정신이 드냐? 조금만 늦었으면 큰일날 뻔했다. 연기가 많이 나는 풀을 나무 밑에 많이 깔아 놓고, 연기 속에서 기절한 널 얼른 빼왔지, 헉헉."

이런 걸 십년감수, 구사일생이라고 해야 하나. 잔 다르크 누나처럼 화형당하려는 찰나에 이렇게 구해 주다니.

"그 동안 어디서 뭐하고 계셨어요?"

"원래 더 일찍 오려고 했는데, 공주님의 대관식에 대비해 위엄 있는 화장을 하다가 조금 늦었지 뭐냐. 하지만 이제라도 나타난 게 어디야."

"그나저나 세빌리오랑 크다만파트라 공주는요?"

"다들 네가 불 속에서 죽은 줄 알고 있을 거다. 세빌리오는 결혼식 후에 디저트로 처형할 거라고 하더라."

파라파 대장은 고개를 숙였다.

"이대로 포기할 수는 없지만, 공주님이 있는 곳까지는 몰자바의 부하들이 몇 겹으로 감싸고 있어서 말이야. 게다가 반군의 수가 너무 적으니까 공격할 엄두도 못 내고 있단다. 우리 쪽 사기는 갈수록 떨어지고 있으니 어떻게 해야 할지 모르겠다."

미용을 위해서라면 전쟁도 불사한다
이집트 최초의 여왕 하트셉수트는 화장품의 원료 산지인 푼트로 대규모 원정을 감행하여 성공했다. 이 원정으로 1세기까지 이집트는 페니키아인이 전 세계에 보급한 화장품 원료의 가공을 거의 독점하다시피 했다. 정말 못 말리는 이집트인들이다.

몰자바 병사들의 수가 워낙 많아 정면 대결을 한다면 공주의 근처에 가기도 전에 몰자바 병사들에게 몰살될지도 모를 일이다. 지금쯤이면 결혼식이 거의 끝나갈 시간인데… 서둘러야 한다. 뭐 좋은 방법이 없을까?

몰자바 부하들보다 더 많은 군대를 불러올 수도 없고. 잠깐, 더 많은 군대… 더 많은 사람들…. 그래, 광장에 모인 이집트 국민들 전체를 공주의 편으로 만드는 거야. 이집트 사람들은 태양신의 말이라면 거역하지 못할 테니까. 가만, 태양신이라면…. 참, 파피루스의 마지막 구절이 뭐였더라….

"진정한 파라오의 손에 헤카가 쥐어지면
이집트에 두 개의 태양이 떠오르고
그 영광이 천년만년 계속되리라."

"두 개의 태양… 그래, 바로 그거야."
노빈손은 딱— 소리가 나도록 손바닥을 마주쳤다.

떠오른 두 개의 태양

노빈손이 묶여 있던 나뭇더미는 새까만 재로 변해 있었다. 파라파가 구해 주지 않았다면 저기 잿더미에 누워 있었을 자

도끼로 면도를?
인류 최초의 면도기는 기원전 1400년대의 이집트에서 전해 오는 청동제 도끼 모양의 면도칼이다. 또 아시리아에서는 편편한 면도칼을 사용했으며, 고대 그리스에선 초승달 모양의 면도칼을 사용했다. 짧은 수염이 깊게 잘 깎인다는 사실을 발견한 것은 로마인이다. 그들은 긴 자루가 달린 이른바 '서양 면도칼'을 처음으로 사용했다.

신을 생각하니 노빈손은 오금이 저려왔다. 우선 세빌리오를 빨리 찾아야 한다. 이럴 때야말로 세빌리오의 솜씨가 빛을 발할 때니까.

세빌리오는 까맣게 타버린 잿더미 위에 주저앉아 눈물 콧물 범벅이 되어 서럽게 울고 있었다. 노빈손의 흔적을 찾기 위해 재를 뒤적거린 탓인지 얼굴이며 몸이 새까만 재투성이였다. 노빈손은 세빌리오에게만 들리도록 작은 소리로 불렀다.

"세빌리오… 세빌리오."

"헉— 노, 노빈손 형? 형이 어떻게… 불… 재… 형이… 어떻게…."

세빌리오는 귀신을 본 듯한 표정으로 말까지 더듬거렸다.

"그래, 나야, 노빈손. 활활 타오르는 불 속에서 부활했지. 그 얘기는 나중에 하기로 하고. 세빌리오, 이제 너의 솜씨를 마음껏 발휘할 때야."

"그게 무슨 소리야? 내 솜씨라면 도둑질밖에 없는데…. 안 돼, 다시는 도둑질 안 하겠다고 크다만파트라 누나랑 약속했단 말이야."

"바보야, 이번엔 크다만파트라를 위해서 하란 말이야."

노빈손이 밧줄을 풀며 세빌리오의 귀에 대고 속삭이자 눈물이 채 마르지도 않은 세빌리오의 표정이 밝아졌다.

"걱정 마, 형. 그런 것쯤이야 나한테 맡기라고."

고대 이집트인의 평균 수명은 40세
이집트에서 발굴된 미라의 연구를 통해 현대 과학자들은 고대 이집트 사람들의 평균 수명이 40세 전후라는 사실을 밝혀냈다. 이는 1840년대를 살았던 유럽인의 평균수명보다 단지 몇 살 적을 뿐이다. 이집트인이 주로 앓았던 질병은 영양 부족, 탈골, 척추 골관절염이었는데, 특히 골관절염은 들판에서 농사일에 시달리고 무거운 물건을 자주 들고 다니면 발생하는 질병이라고 한다.

세빌리오는 작전 중 임무 수행을 위해 샤사샥— 사람들 속으로 숨어들었다.

"선왕이 돌아가시고 우리는 공주가 부덕한 탓에 많은 불행을 겪었습니다. 우물은 말라 버리고, 수백 명이 죽어 나가는 전염병이 전국에 퍼지기도 했습니다. 이것은 크다만파트라 공주가 파라오로서의 자격이 없다는 하늘의 계시가 아니겠습니까, 여러분!"

몰자바가 미리 풀어 놓은 사람들이 이곳저곳에서 맞장구를 쳐댔다.

"옳소~."

이집트 국민들은 이들에게 동요되어 여기저기서 웅성거리기 시작했다. 이 혼란의 여세를 몰아 몰자바 대신은 목청을 높였다.

"그래서 크다만파트라 공주는 파라오가 될 자격이 없다는 것으로 판단해, 그 동안 국정을 총괄하며 공주를 모셨던 나 몰자바가 공주와 결혼하여 왕권을 계승하도록 하겠습니다."

크다만파트라 공주는 허리를 꼿꼿이 세워 쓰러지지 않기 위해 애쓰고 있었지만, 그녀의 여린 어깨는 가느다랗게 떨리고 있었다.

"에, 저 몰자바는 여러분의 의견을 겸허히 받아들여 공주와 결혼해 여러분의 태양, 파라오로 거듭날 것이오. 자, 여기

홍해는 정말 붉은 바다인가?
홍해는 아프리카 대륙과 아라비아 반도 사이에 있는 좁고 긴 바다이다. 바다 속에 있는 해조 때문에 물이 붉은빛을 띠는 일이 있으므로 '홍해' 라고 불린다. 사막 건조 지대에 자리잡고 있으므로 해수의 증발도가 대단히 높으며, 페르시아 만과 함께 세계에서 가장 염도가 높은 바다로 알려져 있다.

를 보시오. 이 상자 안에 전설로 전해지던 절대 헤카가 들어 있습니다. 여러분도 그 전설을 기억하실 겁니다. 진정한 파라오의 손에 절대 헤카가 주어진다는…. 여기 이 헤카야말로 나 몰자바가 진정한 파라오라는 증거가 아니겠습니까? 자, 이것이 바로 그 전설의 절대 헤카입니다, 여러분!"

흥분한 몰자바가 일장 연설을 늘어놓고 헤카가 들어 있는 상자를 열었을 때 안은 텅 비어 있었다.

"이게… 이게 어떻게 된 일이지? 헤카… 절대 헤카가…"

이 때 어디선가 크다만파트라 공주를 부르는 소리가 들렸다. 주위를 둘러보던 크다만파트라는 사람들 사이에서 망토를 쓴 노빈손을 발견하고 자신의 눈을 믿지 못했다. 죽은 줄만 알았던 노빈손의 모습을 다시 보게 되자 가슴 한구석에서 용기가 서서히 고개를 들었다.

"몰자바, 파라오는 추대되는 것이 아니라 태양신에 의해 선택되는 것이오! 헤카는 주인을 스스로 선택할 것이다!"

어디서 저런 기운이 났는지 크다만파트라 공주의 목소리는 왕궁을 쩌렁쩌렁하게 울렸다. 크다만파트라 공주의 풀죽은 모습을 상상했던 몰자바는 눈앞에 벌어진 상황에 어쩔 줄 몰라하며 당황했다. 그리고 군중 속에서 노빈손의 모습을 발견했다.

"아, 아니, 왜 저기 하늘에서 떨어진 녀석이… 네가 어떻게…?"

227

이집트 박물관에 묻힌 프랑스 고고학자
19세기 초부터 이집트의 고미술품이 함부로 해외로 유출되자 이를 우려한 프랑스 고고학자 A.마리에트는 1858년 이집트 박물관을 설립한다. 카이로의 중심부에 있으며, 고대 이집트 미술과 고고학적 유물의 수집으로는 양과 질적인 면에서 세계 최고 수준이다. 박물관 정원에는 그의 헌신과 노고를 기려 그의 무덤이 한쪽에 자리잡고 있다.

노빈손이 병사들에게 쫓겨 달아나며 큰 소리로 외쳤다.

"세빌리오, 지금이야!"

그러자 몰자바 대신 바로 뒤의 기둥에 숨어 있던 세빌리오가 날쌘 동작으로 튀어나왔다. 언제 훔쳤는지 세빌리오의 손엔 절대 헤카가 들려 있었다.

"헤, 헤카가! 여봐라, 당장 저 쥐방울만한 녀석을 잡아라."

몰자바의 병사들이 일제히 세빌리오에게 달려들려는 순간, 세빌리오는 젖 먹던 힘까지 총동원하여 헤카를 하늘 높이 던졌다. 하늘 높이 오른 헤카는 휙휙휙─ 돌면서 떨어지더니, 탁─ 누군가의 손에 쥐어졌다. 바로 크다만파트라 공주의 손에.

우르르 쾅쾅─.

어디선가 번개 치는 소리가 나더니 왕궁에 있는 열 개가 넘는 창에 두꺼운 커튼이 내려졌다. 빛이 들어올 수 있는 곳을 모두 차단당한 왕궁은 금세 칠흑 같은 어둠에 휩싸였다. 그 때 누군가가 외치는 소리가 들렸다.

"하늘에… 두 개의 태양이다!"

정말이었다. 사람들이 올려다본 그곳에는 찬란한 태양 두 개가 빛을 발하고 있었다. 하나는 하늘에서, 또 하나는 바로 크다만파트라 공주의 머리 위에서 찬란한 빛을 쏟아내고 있었다. 사람들의 웅성거림은 더욱 커졌다.

"예언이 맞았어. 저 광채를 봐."

고대 이집트인들은 전기 조명법을 알고 있었다! 말도 안 된다고? 그렇지 않다. 이 주장은 충분한 근거를 갖고 있다. 피라미드 내부에서 횃불이나 기름 램프, 양초를 사용했다면 그을음이 나왔을 것이고, 그 검댕이 벽과 천장에 묻었을 것이다. 하지만 검댕은 어디에서도 발견되지 않았다. 룩소르의 북쪽에 있는 덴데라 지방에서 발견된 벽화에는 전구를 연상시키는 벽화 조각이 발견되었다. 이것은 사라진 과학기술을 보여 주는 중요한 자료이다.

"그래, 맞아. 저건 크다만파트라 공주님이 정통 파라오의 혈통이라는 증거라구."

사람들은 흥분에 휩싸였다. 이집트 국민들 사이에선 놀라움의 탄성이 웅성웅성 번져 나갔다. 노빈손을 포위하고 있던 몰자바의 병사들도 하나둘 무기를 버리고 살아 있는 태양신의 재현에 무릎을 꿇고 벌벌 떨었다. 날다람쥐처럼 빠져나가는 세빌리오를 붙잡기 위해 슬라이딩을 하던 병사들도 그 자세 그대로 바닥에 납작 엎드려 고개를 조아리고 있었다.

몰자바가 갑자기 벌어진 사태에 당황하며 전의를 상실한 병사들 사이에서 우왕좌왕하는데 갑자기 와아~ 하는 거대한 함성이 들렸다. 신전의 문이 열리며 반군들이 쏟아져 들어왔다.

"아, 아니 이럴 수가… 다들 뭣들 하냐? 저 간 큰 반역자들을 냉큼 잡아들이지 않고!"

이 때 뒤에서 낯익은 목소리가 들렸다.

"어이, 몰자바, 잡긴 뭘 잡아?"

반군 대장 파라파가 몽둥이로 뒤통수를 내리치자 몰자바는 입에 거품을 물고 맥없이 쓰러졌다.

아메스 제사장은 빛나는 황금 왕관을 들어 크다만파트라 공주의 머리 위에 얹었다.

"여왕폐하 만세~ 이집트 만세!"

누군가가 외치기 시작하자 사람들은 너나 할 것 없이 소리

이집트 최초의 여왕 하트셉수트
투트모세 1세의 딸이며, 또한 이복오빠인 투트모세 2세의 왕비였던 하트셉수트는 의지가 강한 여자로 자신의 앞길을 방해하는 것을 용서하지 않았다. 투트모세 2세가 죽은 후 어린 왕 투트모세 3세와 공동 통치를 하던 중 그를 내쫓고 왕위를 독차지하여 최초의 여성 파라오가 된다. 하트셉수트는 부조에 남자의 모습으로 종종 등장하며, 심지어 왕이 공식 행사 때 착용하는 가짜 수염까지 달고 있다.

치며 무릎을 굽혀 크다만파트라 여왕에게 경의를 표했다. 사막 이집트 왕국에 첫 여왕이 탄생하는 순간이었다.

"그 동안 고마웠어, 노빈손."

크다만파트라 공주는 진심으로 노빈손에게 감사를 표했다. 노빈손은 이집트 여왕의 칭찬에 우쭐해졌다.

"고맙긴…요. 이제 여왕님이니까 말 놓으면 안 되겠다…요."

쑥스러워하는 노빈손에게 크다만파트라가 무릎을 꿇으며 말했다.

"노빈손, 전 이집트 국민들을 대신해 당신께 감사드립니다."

여왕이 무릎을 꿇자 광장에 모인 사람들이 파도처럼 고개를 숙여 노빈손에게 경의를 표했다. 전 이집트가 노빈손에게 고개를 숙였다. 노빈손은 양 손을 앞으로 내저으며 말렸다.

"이러지들 마시라고요, 설날도 아닌데 웬 절들을…."

이집트에서 여성의 지위
이집트인의 또 다른 업적으로 여성의 지위 향상을 들 수 있다. 여자를 노예나 가축처럼 대했던 다른 고대 문명들과는 달리 이집트에선 남녀의 지위가 평등했다. 이집트 부부를 묘사한 조각상이나 벽에 그려진 그림을 보면 남녀가 대등한 크기로 어깨동무를 하고 있는 모습에서 남녀가 평등했다는 사실을 짐작해 볼 수 있다.

어려운 이별

크다만파트라 여왕, 아메스 제사장, 그리고 이제는 장군이 된 파라파 대장, 꾀돌이 세빌리오까지 모두가 노빈손과 어려운 이별을 하기 위해 모였다. 노빈손은 낙타에 몇 개의 가죽 주머니를 매달고 마지막으로 모두를 둘러보았다.

노빈손이 훌쩍 낙타에 오르자 이제 여왕이 된 크다만파트라의 눈에서 맑은 눈물이 흘러내렸다.

"나 가니까 되게 섭섭한가 보네. 그런 의미에서 찐하게 이별의 입맞춤 한 번 웅~."

곱게 눈을 흘기는 크다만파트라 여왕의 표정엔 헤어짐의 아쉬움이 가득했다. 모두에게 손을 흔들며 작별 인사를 하고 돌아서려는데 세빌리오가 달려왔다.

"아직도 난 이해가 안 되는데, 그 두 개의 태양 말야. 형, 어떻게 한 거야?"

"아, 그거? 바로 이거야. 크다만파트라 여왕 대관식 기념으로 너 줄게."

세빌리오의 손에 야영할 때 불을 밝히는 휴대용 랜턴이 쥐어졌다.

"랜턴이라는 거야. 건전지를 안에 넣고 스위치를 켜면 불이 들어와. 랜턴을 처음 보는 이집트 사람들은 아마 태양처럼 느꼈을 거야. 히히~ 나 똑똑하지?"

양손으로 V자를 만들어 보이는 노빈손에게 세빌리오가 이상하다는 듯 물었다.

"건전지? 하지만 이 안에는 아무것도 안 들었는데?"

뭐라고? 정말이었다. 건전지가 들어 있어야 할 랜턴 속은 텅 비어 있었다. 이상하다. 대관식에서는 랜턴에 불이 들어

이집트의 왕관

이집트의 왕관은 모두 다섯 종류인데, 지역에 따라 상 이집트의 왕은 큰 원추형에 끝이 뾰족하게 높이 올라간 흰색 왕관을 썼으며, 하 이집트의 왕은 머리 윗부분이 납작하고 귀가 길게 솟은 붉은색 왕관을 썼다. 기원전 3050년경 상 이집트의 나르메르왕에 의해 통일된 후로 파라오는 두 왕관을 한꺼번에 씀으로써 통일 왕국을 통치하는 힘을 상징하기도 했다.

왔는데… . 그렇다면 혹시 절대 헤카가 지닌 신성한 힘 때문이었을까? 노빈손이 놀라 크다만파트라가 들고 있는 헤카를 바라보자, 대답이라도 하는 것처럼 절대 헤카가 햇살 아래 반짝였다.

"에이~ 나 놀리는 거지? 아무튼 고마워. 선물로 잘 간직할게. 형, 잘 가."

어느새 세빌리오의 눈에도 눈물이 그렁그렁 고였다.

"응, 잘 있어. 보고 싶을 거야."

콧등이 시큰해진 노빈손은 연신 눈물을 찍어내며 하늘을 바라봤다.

"세빌리오, 넌 믿음과 사랑과 소망 중에 그 중에 제일이 뭔

지 알아?"

세빌리오는 잠시 생각에 잠겼다.

"글쎄… 사랑?"

"난 의리라고 생각해. 넌 눈이 똘망똘망한 것이 얼굴만 빼면, 꼭 내 어릴 때를 보는 듯하다니까. 우리 꼭 다시 만나서 의리로 뭉쳐 보자구. 세빌리오, 안녕~."

낙타에 올라 돌아서는 노빈손의 등뒤로 세빌리오가 외치는 소리가 들렸다.

"치사하다, 형. 셋 중에 고르라며!"

에필로그

노빈손의 장례식

오아시스에서는 마침 베두인족 족장 압둘의 주재로 노빈손의 장례식이 한창이었다.

사막에서 며칠째 실종된 노빈손은 결국 피라미드의 저주에 걸려 죽은 게 분명했다. 세계 여행을 하겠다고 그렇게 큰소리 치던 노빈손이 죽다니….

의리 하면 압둘. 노빈손과 한때나마 친구로 지낸 걸 생각하며 압둘은 경건한 마음으로 장례를 진행하고 있었다.

"형제 노빈손이여, 하늘에서 편히 잠들기를. 그리고 그곳에서 다시 부활하여 영생을 누리길…."

그 때였다.

첨벙 첨벙~. 바로 옆의 오아시스에서 뭔가가 튀어 오르는 소리가 들렸다.

"이게 뭔 소리지?"

"족장님, 노, 노빈손입니다요!"

"뭐?"

베두인족 모두가 오아시스의 호수로 달려갔다. 그곳에는 어디서 솟았는지 노빈손이 수영을 하고 있었다. 우아하게 배영을 하던 노빈손이 압둘에게 물었다.

"누가 죽었나 봐요?"

노빈손의 말에 그의 죽음을 애도하기 위해 모였던 베두인족들은 눈이 휘둥그레졌다. 압둘은 호탕하게 웃으며 말했다.

"야~ 그 녀석 명 한번 길다. 타고난 여행가구먼. 허헛!"

이집트 역사의 흐름 단숨에 훑기

역사는 점이 아니라 선이다

한 시대를 알고 다음 시대와 연결하는 능력은 역사 공부에
있어서 필수 사항! 자, 이제 이집트 역사 연대기 속으로 들
어가 보자.

237

| 기원전 3150년 | 기원전 2686년 | 기원전 2181년 | 기원전 2040년 | 기원전 1782년 |

초기 왕조 시대

고왕국 시대

중왕국 시대

(기원전 3150년~기원전 2686년)

위대한 국가 이집트가 아프리카 대륙의 동북부 나일 강가에서 시작되었다.

이집트는 오랜 시간에 걸쳐 건설되었으나 3,000년 동안 국경이 거의 변하지 않은, 세계에서 가장 오래된 국가 중 하나이다. 이 때 이집트는 나일 강을 경계로 비옥한 하 이집트와 사막 지대인 상 이집트로 나누어져 있었다.

(기원전 2686년~기원전 2181년)

상 이집트와 하 이집트가 통일되었고, 배수로를 만들어 나일 강의 범람을 조절하였으며, 서기들이 상형문자를 사용했고, 달력이 발명되었다. 사람들은 태양신 라를 가장 숭배했으며, 수도는 멤피스였다. 건축가 임호테프가 조세르 왕을 위해 계단식 피라미드를 건설했으며, 이 시기에는 기자에 있는 쿠푸 왕, 카프레 왕, 멘카우레 왕의 피라미드가 유명하다.

(기원전 2040년~기원전 1782년)

당시의 수도는 테베였으며, 멘투호테프 왕이 이집트를 무력으로 재통일하여 중왕국 시대가 열린다. 무역이 활발했으며, 이 시기에 이집트는 세력을 크게 확장하여 번영을 누린다. 거대한 신전들이 세워졌고, 그 안을 화려하게 장식하기 위해 미술·공예·조각이 발달하였다. 세계 최초로 거대한 빵 공장이 세워졌으며, 현명한 파라오들이 많이 나온 이집트 역사의 황금기로 불린다.

신왕국 시대

말기 왕조 시대

로마제국의 속국 시대

(기원전 1570년~기원전 1070년)

아몬 신의 전성기로 이집트 전역에서 숭배받았다.

이 시기에는 피라미드 대신 도굴꾼의 눈을 피해 계곡에 파라오의 묘지를 비밀리에 만들기 시작한다. 이곳을 '왕가의 계곡'이라 부른다. 파라오의 무덤에 '사자의 서'라는 죽은 자를 위한 안내서를 넣는 것이 유행한다.

소년왕 투탕카멘이 통치 10년 만에 정적들에게 암살당하여 왕가의 계곡에 묻히고 제사장 아이가 그의 젊은 아내와 결혼하여 왕권을 물려받는다.

람세스 2세가 강력한 정복 활동을 하며 건축에도 깊은 관심을 보여 웅장하고 거대한 아부심벨 사원을 세웠다. 이 시기에 이스라엘 민족이 피라미드 공사장을 탈출한 모세의 출애굽도 있었다고 한다.

(기원전 525년~기원전 332년)

고왕국, 중왕국, 신왕국으로 이어진 이집트의 번영은 막을 내리고, 끊임없는 이민족의 침입과 파라오의 권위가 약화되어 혼란이 거듭된다. 이집트 출신의 왕들이 사라져 가고 페르시아 왕들이 이집트를 통치했으며, 아시리아인이 이집트를 침공했다. 결국 그리스의 알렉산더 대왕이 이집트를 정복하고 그리스 출신의 프톨레마이오스 왕가가 등장한다. 그 후 강력한 군사력을 바탕으로 한 로마의 침략을 막아내지 못하여 마지막 여왕이었던 클레오파트라 7세는 자살로 생을 마감하고, 위대한 이집트 왕국은 역사 속에서 막을 내린다.

(기원전 30년~서기 641년)

결국 이집트는 로마제국의 일부가 되어 많은 식량을 로마에 조공 바쳐야 하는 신세가 되고 만다. 그 후 쇠퇴를 거듭하던 이집트는 서기 641년 아랍인에게 다시 정복당한다.

239